la ayuda idónea idónea detrás de la escena

apoya a
tu marido

Fecha de publicación: abril de 2017

Impresión: ISBN: 978-1-61644-101-2

Se han tomado todas las citas bíblicas de la Biblia Reina Valera 1960.

1. Amor 2. Matrimonio 3. Relaciones 4. Mujeres

5. Esposas 6. Ánimo 7. Ángeles 8. Lucha espiritual

I. Pearl, Debi   II. La ayuda idónea detrás de la escena

La ayuda idónea detrás de la escena se puede comprar con descuentos por cantidades especiales para iglesias, programas de donantes, recaudación de fondos, clubs de lectura o fines educativos para iglesias escuelas y universidades. Tenemos disponibles derechos y licencias en otros idiomas y oportunidades de ventas internacionales. Para más información contactar a No Greater Joy • 1000 Pearl Road • Pleasantville TN 37033 1-866-292-9936 • ngj@nogreaterjoy.org

Diseño de la portada por Clint Cearley

Impreso en los Estados Unidos de América

Editor: No Greater Joy Ministries, Inc.

www.nogreaterjoy.org

Contenido

Acerca de Denny

A veces Dios le da a un hombre un mensaje asombrosamente poderoso. Dios bendijo a Denny Kenaston con tal mensaje. Lo predicaba con frecuencia y cuando lo hacía, hombres y mujeres caían delante de Dios en acción de gracias y con el anhelo de ser lo que Dios deseaba que fueran. Era una obra de Dios. Pero, Denny murió inesperadamente de cáncer cerebral en el 2012.

Millones de mujeres necesitaban este mensaje gloriosamente alentador. Jackie (la amada esposa de Denny) y Debi Pearl, la autora de éxito internacional de la serie Ayuda idónea trabajaron juntas para publicarlo.

Dios fue en búsqueda de Denny en el 1972 cuando se encontraba en las garras de en un estilo de vida hippie, inmoral, lleno de drogas, y alcohol. El poder del evangelio transformó gloriosamente a Denny y a Jackie, lo cual los llevó a casarse e irse a un instituto bíblico a los pocos meses de conocer a su Salvador. Durante sus más de 40 años juntos, el Señor los bendijo con ocho hijos y muchos nietos. A Denny le apasionaba extremadamente el hogar, las misiones y el avivamiento. Más de un millón de mensajes de Denny se han enviado por todo el mundo en formato de casete o CD. Ahora, con las descargas en línea y por el hecho de que se le ha dado permiso a otros ministerios para distribuirlos, en la actualidad es imposible estimar el número de personas que han sido influenciadas por su ministerio.

Durante más de 40 años, Jackie fue la Ayuda idónea detrás de la escena de Denny, siempre ocupada en casa criando a la familia, alimentando a los huéspedes, dando la bienvenida a los necesitados y orando por el hombre a quien Dios llamó a esta obra.

Ahora como viuda, Jackie se mantiene ocupada viajando, haciendo trabajo de hospicio, hablando en reuniones de mujeres y ayudando a organizar retiros. Su empeño en enseñar a los demás a cómo tener un matrimonio hermoso, simplemente ha ganado fuerza desde la muerte de Denny. ¡La oración de Jackie es que este libro influya positivamente en tu vida para Su reino!

Cuando Jackie leyó el borrador de este libro, dijo: "Está precioso y perfectamente hilvanado. No pude distinguir lo que era suyo de lo tuyo".

Antes de leer...

Todos los pasajes con este tipo de letra, los escribió Debi Pearl.

Todos los pasajes con este tipo de letra, se transcribieron del audio de Denny "La mujer detrás de la escena".

Si alguna vez ha habido un momento en que el hombre ha necesitado una aman- te esposa que esté a su lado y le diga: "Estoy aquí. Estoy contigo. Te apoyo. Te ayudaré", ese momento es ahora...

Capítulo uno

La batalla por el
Reino

**Proverbios 31:10 Mujer virtuosa, ¿quién la hallará?
Porque su estima sobrepasa largamente a la de las piedras preciosas.**

Existe una guerra intensa, una batalla que se está librando por el Reino de Dios y por el alma de los hombres. A nuestras familias se las está disputando el enemigo. Existen estrategias para ganar esta batalla que Satanás no quiere que descubramos. Sabe que si encontramos y seguimos estas tácticas, ¡él perderá! Las esposas, madres y hermanas que forman nuestras familias piadosas, son el punto de partida de la guerra.

$\mathcal{M}$i deseo es abrirte los ojos e inspirarte, y con la Palabra de Dios, convencerte y ayudarte a entender y a creer que no eres "solo una mujer." Eres una parte muy importante del plan de Dios. En muchas maneras, tu papel podría ser más poderoso que el del hombre y en muchos casos, podrías cosechar mayor recompensa. No entendemos el plan de Dios; solo tenemos vislumbres de cómo trabaja, así es que es muy importante que hagamos lo que Él dice.

La mujer poderosa que se menciona en Proverbios 31 demuestra las estrategias para el entorno del hogar. No hay duda al respecto: El efecto de una mujer piadosa en el resultado de la guerra espiritual contra la familia es impresionante. Satanás lo sabe y también sabe la debilidad de la mujer. Para poder pelear la buena batalla, es sumamente importante saber de qué manera vendrá Satanás en contra tuya.

¿Cuál es la debilidad de la mujer? *Dios nos dio un ejemplo que muestra claramente y con lujo de detalles, cómo pueden ser engañadas las mujeres y lo devastador que es cuando sucumben ante su debilidad.* Satanás sabe muy bien cómo engañar a cada mujer así como engañó a Eva en el Huerto del Edén. Él continúa abordando a cada Eva con ese mismo espíritu de cuestionamiento y seducción, diciendo: "¿Conque Dios os ha dicho?" *Fue Eva quien entregó las riendas del reino de Dios a Satanás simplemente por querer ser más sabia y profundizar más "en cosas más espirituales". La cuestión es siempre la misma: Si no parece bueno o espiritual, la mujer se pregunta si es correcto. Duda de Dios. A las mujeres, al igual que Eva, se les hace difícil creer que Dios realmente quiere decir lo que dice, cuando lo que dice Dios no les conviene.*

Las mujeres necesitan que se les aclare el mandato directo. Tropiezan si no les parece justo o si les parece injusto. Además de esta debilidad del "sentimiento de justicia", a los maestros y predicadores les gusta rascar los oídos de las mujeres con ternura espiritual y lo hacen tergiversando el griego y el hebreo y/o enseñando que la cultura cambiante hace que las palabras de Dios sean anticuadas, y por tanto de ninguna consecuencia. Después de todo, ¿cómo podría Dios esperar que una mujer se someta a su marido? ¿Servir a su marido? ¿O pensar que simplemente fue creada para ser su ayuda? ¿Por qué no debería el hombre ser SU ayuda si ella es más inteligente y más capaz? Suena primitivo imaginarse a una mujer en este papel. Cuando el papel bíblico del hombre y de la mujer se plantea ante un tribunal en un proceso de divorcio, se convierte en un asunto de risa. El mal gana. Pero un día Dios será el juez, y ese día quiero que me encuentre de SU lado.

Un día Dios será el juez, y ese día quiero que me encuentre de SU lado.

Como a la Eva de antaño, a las mujeres de hoy se les ha convencido que den una mordida al nuevo fruto, sin darse cuenta que es el mismo fruto antiguo y la misma maldición antigua. El fruto parecía agradable a los ojos de Eva. Se le prometió una posición exaltada de sabiduría que nunca había tenido. Mordió el anzuelo. La vida cambió para siempre por la decisión de Eva. Oh, la confusión que ha surgido por la decisión que han tomado las mujeres de dejar su papel de apoyo como esposas y madres. *Mi meta no es imponer una carga a las mujeres, sino más bien enfocarme en los hechos de la Palabra de Dios. DIOS escribió el plan para el matrimonio — cómo funciona mejor y por qué nos debemos adherir a su plan. Lo hizo para TODO nuestro bien, no solo para el bienestar del marido. Es bueno para la esposa y es muy bueno para los niños. El plan de Dios para el matrimonio funciona. Dios estableció el plan aun antes de que Eva fuera creada. De hecho, Dios lo diseñó y luego creó a la mujer para desempeñar este papel. Dios escribió en Génesis 2:18, 21-23*

> Y dijo Jehová Dios: No es bueno que el hombre esté solo; le haré ayuda idónea para él.
> Entonces Jehová Dios hizo caer sueño profundo sobre Adán, y mientras éste dormía, tomó una de sus costillas, y cerró la carne en su lugar. Y de la costilla que Jehová Dios tomó del hombre, hizo una mujer, y la trajo al hombre. Dijo entonces Adán: Esto es ahora hueso de mis huesos y carne de mi carne; ésta será llamada Varona, porque del varón fue tomada.

Yo nunca me hubiera atrevido a escribir los siguientes versículos. Dios dice cosas que a muchas no les gustan y 1 Corintios 11: 7-10 es uno de esos pasajes:

> Porque el varón no debe cubrirse la cabeza, pues él es imagen y gloria de Dios; pero la mujer es gloria del varón. Porque el varón no procede de la mujer, sino la mujer del varón, y tampoco el varón fue creado por causa de la mujer, sino la mujer por causa del varón. Por lo cual la mujer debe tener señal de autoridad sobre su cabeza, por causa de los ángeles.

¿Notaste la frase "por causa de los ángeles"?

No tengo idea de lo que esto significa, pero sí entiendo que una de las razones por las que Dios estableció el papel de la esposa bajo el liderazgo del hombre es "por causa de los ángeles". Mucho antes de que hubiera hombre y mujer, había ángeles varones, buenos y malos. La Biblia nos da varios relatos de gigantes, hombres de renombre que se fueron en pos de vicios contra naturaleza y cosas semejantes. Sabemos que hubo una gran guerra entre Dios y un número de ángeles que eligieron rebelarse. Parece que algunas personas piensan que "Dios empezó a disfrutar de la vida" cuando el hombre fue creado, pero el hombre es solo un acontecimiento en el historial eterno de Dios. La eternidad existía mucho antes de que existiera la vida que conocemos ahora. Muy poco de la eternidad pasada está registrada en la Biblia, pero Dios nos advierte una y otra vez, que todavía hay repercusiones por causa de estas criaturas caídas y debemos estar listas para resistirlas. Satanás es el jefe de esta pandilla de ángeles forajidos y anda detrás de tu matrimonio, de tu alma, y aún una mayor victoria —el alma de tus hijos. El pasaje "por causa de los ángeles" solo sugiere que hay algún tipo de lucha espiritual de la que no sabemos nada, pero que tiene que ver con que la mujer permanezca bajo la autoridad espiritual protectora de su marido.

¿Notaste la frase "por causa de los ángeles"?

La Palabra de Dios dice en Efesios 6:12:

Porque no tenemos lucha contra sangre y carne, sino contra principados, contra potestades, contra los gobernadores de las tinieblas de este siglo, contra huestes espirituales de maldad en las regiones celestes.

Nuestro verdadero problema no está en nuestros propios sentimientos, ni en nuestro marido, ni incluso en nuestra situación; el verdadero problema son los espíritus malignos que combaten contra nosotras y nos incitan a dudar de Dios. Así que Dios estableció una jerarquía de liderazgo que es para la protección de la esposa y que trae extrema satisfacción y alegría a toda la familia.

El plan de Dios no tiene nada que ver con quién merece ser el primero o quién es el más inteligente o el más capaz. Lo que nos falta entender el día de hoy, es el hecho de que es el plan de DIOS, es la voluntad de DIOS, y que funcionará si lo hacemos a la manera de DIOS. Dios siempre tiene una razón. No nos corresponde cuestionarlo. Parece que todos tienen una cláusula de excepción. Cada familia, cada esposa y cada situación quieren cambiar el plan, pero sigue estando escrito en el libro — el libro de Dios — que son las PALABRAS mismas de Dios.

El divorcio ha alcanzado niveles sin precedente, lo que resulta en que los niños crezcan solos en casa, mirando basura en la televisión mientras comen basura, porque mamá no está allí para supervisarlos. Dios dice en Proverbios 29:15

... mas el muchacho consentido* avergonzará a su madre.

Otras traducciones dicen: dejado a sí mismo, o abandonado.

El resultado de que una mujer no esté bajo la jefatura de su marido es que tendrá niños inseguros, emocionalmente tensos, llenos de ira, improductivos e incapaces de tener relaciones sanas. Las madres son quienes deben de cuidar a estas pequeñas almas y cuando mamá está ausente del hogar habrá consecuencias que serán incurables. Los resultados devastadores se están convirtiendo en la norma a medida que más niños crecen y llegan a la edad adulta emocionalmente enfermos. La eternidad revelará el alcance total del daño causado, todo porque la sociedad ha abandonado el plan original de Dios para el hogar, exponiendo así a la familia a las artimañas del diablo.

Ser una ayuda idónea — una ayuda idónea verdadera — le da a la mujer una cantidad de influencia asombrosa. Ella puede y será una gran diferencia positiva. Ser una buena ayuda idónea es una posición eterna que cosechará beneficios eternos.

Si Dios hubiera querido que viéramos el mundo espiritual y la feroz batalla que allí acontece, lo hubiera hecho posible; pero quiere que aprendamos a confiar en Él, que es lo opuesto a lo que hizo Eva cuando dudó que Dios realmente sabía lo que era mejor para ella. Aunque no se nos permite entenderlo todo, es necesario obedecer a Dios. Recientemente estaba pensando en toda la instrucción dada a los maridos y a los padres. Sé que muchos hombres se pueden sentir abrumados con lo que Dios requiere de ellos. Si alguna vez ha habido un momento en que el hombre ha necesitado una esposa amante que esté a su lado y le diga: "*Estoy aquí. Estoy contigo. Te apoyo. Te ayudare*", ese momento es ahora. Te invito ahora, ven, sé una Ayuda detrás de la escena. Ven, sé una Mujer Virtuosa. Ven, sé una esposa poderosa que apoya a su marido. Ven, sal de las sombras y ponte al lado de tu marido. Él necesita tu ayuda como nunca antes.

Pon tu mano en su mano y dile: "Estoy contigo".

Capítulo dos

El propósito de Dios para las
mujeres

**Proverbios 31:11-12 El corazón de su marido está
en ella confiado, y no carecerá de ganancias.
Le da ella bien y no mal todos los días de su vida.**

El papel de una mujer piadosa es una
paradoja. No tiene sentido; así son las
paradojas. El papel de una mujer piadosa
es de apoyo. Esto significa que a menudo
está detrás de la escena y es desconocida
para los demás. Sin embargo, su poder e
influencia a menudo exceden a la de un
hombre cuyo papel es público.

El niño que nunca aprende a obedecer a sus padres en el hogar, no obedecerá a Dios ni al hombre fuera del hogar. — *Susanna Wesley*

Recuerda a Susanna Wesley, *la madre de John y Charles Wesley, dos de los hombres de Dios más famosos de su tiempo. Son padres del movimiento metodista. Ambos hombres dieron crédito a su madre por haberlos criado para amar y honrar a Dios. La influencia de Susanna Wesley cambió la vida de millones de personas, sin embargo, ella era simplemente una esposa y una madre, una ayuda detrás de la escena.*

Considera ahora el camino hacia la grandeza que enseñó Jesús. Dijo que la grandeza viene de vivir la vida de un siervo, de darse uno mismo. Jesús dio el ejemplo de lavar los pies de alguien y dijo: "esto es grandeza".

Juan 13:13-17 Vosotros me llamáis Maestro, y Señor; y decís bien, porque lo soy. Pues si yo, el Señor y el Maestro, he lavado vuestros pies, vosotros también debéis lavaros los pies los unos a los otros. Porque ejemplo os he dado, para que como yo os he hecho, vosotros también hagáis. De cierto, de cierto os digo: El siervo no es mayor que su señor, ni el enviado es mayor que el que le envió. Si sabéis estas cosas, bienaventurados seréis si las hiciereis.

¿Alguna vez consideraste la vida de un buen ángel? Un ángel pasa desapercibido la mayor parte del tiempo, está detrás de la escena, nunca lo vemos. La mayoría de las veces, la gente ni siquiera sabe que un ángel ha hecho algo para ayudarlos. Dios recibe toda la gloria de estos seres celestiales. Están ocultos de la vista humana, sin embargo, Dios ve su trabajo y hacen un sinnúmero de tareas para Él.

Imagina un accidente que está a punto de ocurrir y los ángeles están allí en la escena, pero no los podemos ver. Cogen el volante y guían el coche a un lugar seguro. Cuando el coche se detiene, sabemos que hemos sido librados de una tragedia e inclinamos la cabeza y damos gracias a Dios por cuidarnos. Ni una sola palabra se le dice al ángel, sin embargo, lo que nos salvó fue su obediencia a Dios, su servicio en nuestro favor.

Ah, si pudiéramos permitir que Dios purificara nuestras motivaciones y nos diera ojos eternos que sirvieran al Señor como lo hacen los ángeles. Algún día todo se verá claro.

¿Y qué tal la vida de Josué? Por 42 años sirvió a Moisés fielmente. Muy poco se menciona acerca de Josué hasta que Moisés murió. ¿Crees que Moisés pudo haber servido a Dios como lo hizo si no hubiera tenido a Josué para servirle y apoyarle? No, Moisés necesitaba a Josué. Durante años se le conoció solo como "Josué, servidor de Moisés", hasta cuando Dios lo designó para dirigir al pueblo de Israel después de la muerte de Moisés.

> **Éxodo 33:11 Y hablaba Jehová a Moisés cara a cara, como habla cualquiera a su compañero. Y él volvía al campamento; pero el joven Josué hijo de Nun, su servidor, nunca se apartaba de en medio del tabernáculo.**

El propósito que Dios estableció para la mujer es que fuera para el hombre.

Todo militar sabe que si no tiene una unidad de apoyo sólida trabajando detrás de la escena, no podrá ganar la guerra. Ese es otro ejemplo más del papel vital de la mujer. De hecho, en una batalla, si un soldado no tiene una unidad de apoyo preparada, ni siquiera saldrá al campo de batalla. No puede salir. No está preparado. Sería un necio si lo intentara solo.

Para cada soldado, debe haber comida, agua y suministros médicos, además de todo lo necesario para mantener el equipo y la compañía en movimiento, como gas y petróleo. Además, el militar tiene que tener las herramientas para pelear la guerra o no habría razón para salir a pelear. Se necesitan más hombres y una planeación más cuidadosa para proporcionar apoyo detrás de la línea de fuego, que lo que toma apoyar a los que de hecho están peleando.

La función que Dios estableció para la mujer es la de apoyar a su marido detrás de la escena. *Este propósito se revela claramente en Génesis 2 cuando Dios explica que no es bueno que el hombre esté solo. En efecto dijo: "Le haré ayuda idónea para él. Ella será precisamente lo que necesita. Estará a su lado y lo apoyará". Sepamos con certeza, la mujer (esposa) fue creada para ser de apoyo; su vocación divina es ser la ayuda idónea de su marido.*

Ponte por un momento en el lugar de Eva cuando fue creada: no existía y de pronto existe. Surgió de repente. Me imagino que cuando abrió sus ojos debe haber mirado a la cara de Dios quien la había hecho. Probablemente había una pregunta en su mente: "¿Qué es esto? ¿Quién soy? ¿Para qué estoy aquí?"

Pienso que Dios probablemente la instruyó antes de llevarla al hombre. La Biblia dice que Dios la hizo y luego la trajo al hombre.

Dios pudo haber dicho: "Eva, soy Dios, yo te hice. Te saqué de aquel hombre que está durmiendo, te hice porque él te necesita, te he hecho para él, Eva. ¿Entiendes? Serás su ayuda".

Su corazón está en ella confiado

Proverbios 31:10-12 Mujer virtuosa, ¿quién la hallará? Porque su estima sobrepasa largamente a la de las piedras preciosas. El corazón de su marido está en ella confiado, Y no carecerá de ganancias. Le da ella bien y no mal Todos los días de su vida.

Aquí vemos una descripción de una hermosa mujer la cual está enfrascada en apoyar a su marido. *"Su corazón está en ella confiado"*. No se preocupa ni se inquieta por su esposa. Sabe que nunca lo dejará. Su dedicación a él es segura. Ella gastará el dinero de la familia cuidadosamente. Nunca hará nada que le traiga a él deshonra. Será una buena madre de sus hijos. Él tiene confianza en ella al saber que será su amorosa esposa y lo apoyará todos los días de su vida, tal como la describe la Escritura.

El deseo de su corazón es vivir para su marido y complacerlo. Ella le hará bien y no mal. Cuando otros dudan de él, ella se mantiene firme. Se sentirá confiado por su entrega a él; estará abierto a escuchar su opinión porque sabe que lo apoyará al final de cuentas. ¿Por cuánto tiempo será ella su amiga más leal? "Hasta que la muerte los separe". Sabe que puede contar con ella y le tiene la confianza necesaria para abrirle su corazón. Sabe cuál será su reacción en las buenas y en las malas. *Él sabe que cuando esté ausente, ella guiará el hogar conforme al corazón de su marido. No lo manipula con engaños suaves para hacer lo que le conviene a ella. Él siente el honor de su mujer y sabe que el honor de ella le traerá el honor de los demás.* La mujer que describe este proverbio es una mujer muy valiosa, una joya inestimable y una corona en la cabeza de su marido.

Proverbios 12:4 La mujer virtuosa es corona de su marido; Mas la mala, como carcoma en sus huesos.

Cualquiera que sea la situación que un hombre tenga que enfrentar, podrá hacerlo con confianza cuando tiene una esposa que lo apoya.

El papel que Dios ha establecido para la mujer es la piedra fundamental que se debe establecer para poder tener un hogar pacífico y piadoso. Es el propósito revelado por Dios para la mujer, simple y llanamente. La única manera en que podrás ver a tus hijos crecer para amar y honrar a Dios con sabiduría y confianza es refugiándote en el maravilloso propósito para el cual fuiste hecha. Esto es lo que es ser una mujer detrás de la escena.

Cuando un hombre tiene una mujer como ésta, posee una gran fuente de fortaleza que recarga las baterías mentales y emocionales. Te aseguro—te garantizo—que esto es verdad. *Independientemente de lo que un hombre tenga que enfrentar, podrá hacerlo con confianza cuando tiene una esposa que lo apoya. No duda de sí mismo, ni vacila con incertidumbre y tampoco se niega simplemente a emprender un proyecto debido a que tiene miedo de fracasar si tiene una esposa que le dice que él puede y que ella le ayudará.*

Creo que todas ustedes saben que estas afirmaciones se basan en el supuesto de que el marido no maltrata físicamente a su esposa, ni falla en satisfacerla como compañero sexual natural, ni tampoco, (si es capaz) descuida proveerla de lo necesario para su subsistencia y la de sus hijos.

> **Éxodo 21:10-11...Si tomare para él otra mujer, no disminuirá su alimento, ni su vestido, ni el deber conyugal. Y si ninguna de estas tres cosas hiciere, ella saldrá de gracia, sin dinero.**

> **1 Corintios 7:4-5 La mujer no tiene potestad sobre su propio cuerpo, sino el marido; ni tampoco tiene el marido potestad sobre su propio**

cuerpo, sino la mujer. No os neguéis el uno al otro, a no ser por algún tiempo de mutuo consentimiento, para ocuparos sosegadamente en la oración; y volved a juntaros en uno, para que no os tiente Satanás a causa de vuestra incontinencia.

1 Timoteo 5:8 porque si alguno no provee para los suyos, y mayormente para los de su casa, ha negado la fe, y es peor que un incrédulo.

El corazón de su marido está en ella confiado.

Capítulo tres

Tu mano en su mano

Detrás de cada gran hombre hay una extraordinaria ayuda idónea detrás de la escena.

Puede sorprender a algunas de ustedes escuchar que la función principal de la mujer no es criar hijos. Sé que puede ser difícil de entender porque estás muy ocupada haciendo eso precisamente. Sin embargo, si regresamos al corazón de Dios y a su intención original, Dios no dijo: "Voy a hacer una mujer para que podamos tener hijos en la tierra".

Dios dijo:

Génesis 2:18   Y dijo Jehová Dios: No es bueno que el hombre esté solo; le haré ayuda idónea para él.

Tu propósito principal es tu marido. Aunque puede ser que estés ocupada criando hijos, quiero animarte a que no pierdas de vista a tu marido. Él es la razón por la que estás aquí. Recuerda que tanto tú como los niños están a cargo de tu marido. Dios te ha dado a él. Un empleado no ignoraría a su jefe por cuidar de los empleados. Si fuera necesario, ignoraría a los empleados bajo su cargo para escuchar lo que está diciendo su jefe y recibir nuevas instrucciones.

No pierdas de vista a tu marido. Él es la razón por la que estás aquí.

Muchas esposas pierden su enfoque con el paso del tiempo. Te puedes dejar llevar por las atareadas demandas de la maternidad o por una relación tensa con tu esposo, o tal vez por escuchar a espíritus seductores. Tal vez has llegado al punto de decir: "Bueno, no puedo entender a este sujeto, no me puedo llevar bien con él, así que me voy a olvidar de él y me concentraré en criar a mis hijos".

Te puedo decir que no va a funcionar como lo esperas. Estás aquí para tu marido. No puedes simplemente desechar el propósito que Dios estableció para ti y escoger otro. *Hay una guerra invisible que involucra principados, potestades y gobernadores de las tinieblas. Se necesita de una mamá y de un papá para proteger a la familia.*

Imagínate por un momento que estás en tu lecho de muerte. Te estás muriendo y tú lo sabes. Se acabó la lucha. Te has despedi-

*No puedes simplemente desechar
el propósito que Dios estableció
para ti y escoger otro.*

do de tus hijos y de tu marido. Llegó el momento; partiste al otro mundo. Al entrar en las glorias del Cielo, Dios te detiene y dice: "Espera un momento, hija mía. Tu trabajo en la tierra no ha terminado. Necesitas regresar. Tu marido te necesita. Necesita tu amor y tu apoyo y te necesita a su lado. Debes volver y servir a tu marido. No es hora que vengas al Cielo todavía".

De repente te despiertas de nuevo y estás otra vez de regreso en tu cuerpo, estás viva una vez más. Oyes el llanto débil de tu marido al lado de la cama. Está diciendo: "¡Oh Dios! Por favor Dios, devuélveme a mi esposa. Necesito a mi esposa. No sé si voy a poder salir adelante sin ella".

Oyes la voz de tu esposo diciendo esas palabras y recuerdas la voz de Dios diciéndote que volvieras y sirvieras a tu marido. ¿Qué harás ahora? ¿Qué harás?

Te levantarás. Amarás y servirás a tu marido todos los días de tu vida como nunca lo has hecho. ¿Por qué? Porque Dios te habló cara a cara y te dio la tarea de nuevamente amar y servir a tu marido. Te dijo: "Esto es lo que quiero que hagas".

¿Recuerdas la historia de Tomás el incrédulo? ¿No es irónico que aunque Tomás fue un hombre bueno y fiel, se le recuerda como el discípulo incrédulo? Cuando los discípulos le dijeron a Tomás que habían visto vivo a Jesús, Tomás les dijo que simplemente no podía creer que eso fuera verdad. Tomás dijo: " Si no viere en

sus manos la señal de los clavos y metiere mi dedo en el lugar de los clavos y metiere mi mano en su costado, no creeré". Entonces ocho días más tarde Jesús se apareció otra vez y Tomás estaba allí. Jesús le ofreció sus manos a Tomás y dijo: "¿Crees ahora?" Luego Jesús reprendió suavemente a Tomás por su incredulidad.

Juan 20:29 Jesús le dijo: Porque me has visto, Tomás, creíste; bienaventurados los que no vieron, y creyeron.

Oh, si tan solo pudiéramos creerle a Dios cuando nos dio su instrucción escrita, como si viniera en su apariencia divina y nos dijera su voluntad para nuestras vidas. Si tan solo pudiéramos abrazar con esa misma devoción su Palabra escrita cuando nos dice su voluntad para nuestras vidas sin ser como Tomás.

Hebreos 11 es un capítulo que enumera a aquellos santos del Antiguo Testamento que caminaron por fe. Dios le llamó JUSTICIA al hecho de que le creyeron.

Hay un proverbio americano que a menudo se cita en el contexto de la historia. Dice así:

Detrás de cada gran hombre hay una gran mujer.

Esta es una declaración verdadera. Tal vez se le tiene que santificar un poquito, pero es una declaración verdadera.

La mujer es una criatura poderosa. Dudo que te des cuenta de lo poderosa que eres en realidad, para bien y para mal. Me parece que Satanás te ha estado mintiendo haciéndote pensar que no eres tan importante. En un sentido secular, el proverbio anterior a menudo se refiere a una mujer fuerte que está motivando y empujando a su marido a alcanzar el éxito. Puedes encontrar ese relato muchas veces en la historia: un hombre que obtuvo poder debido a una mujer que lo estaba presionando para que alcanzara el éxito para así también ella misma llegar a la cima. *Tenemos un ejemplo memorable de tal mujer en la Palabra de Dios. Su nombre era Jezabel. Sí, sabes de ella, al igual que la mayoría de la gente que alguna vez han abierto una Biblia. Estaba entregada a su marido, pero para su beneficio personal.*

Jezabel... estaba entregada a su marido, pero para procurar su propio bien.

La gran manipuladora

Jezabel es símbolo de una mujer que es completamente impía. La Biblia describe que la educación de Jezabel fue en forma descuidada. Descuidada; es decir, su mamá fue descuidada en dejarla sin supervisión, fue descuidada en lo que la dejó hacer, fue descuidada en cómo la dejó vestir y en cómo la dejó hablar. Su mamá no supervisó adecuadamente a su hija, y los resultados fueron que el nombre mismo de Jezabel es la descripción de una mujer malvada. ¡Oh, el poder que tiene una mamá al criar a sus hijos!

Jezabel creció y se casó con un rey. Ahora tenía el poder para hacer lo que quisiera. Lo que la gente no se da cuenta de Jezabel es que muchas de las cosas que hacía, lo hacía para sus

dioses. *Estaba muy dedicada a su religión. También trabajó arduamente para lograr el éxito de su marido. Incluso manipuló las circunstancias para conseguir algo que lo tenía deprimido e infeliz por no salirse con la suya. Una de las historias que cuentan acerca de Jezabel es cómo usó el sistema y la autoridad de su esposo para apoderarse de la tierra de otro hombre para dársela a su marido. Fue una cosa mezquina y egoísta la que hizo y Acab fingió no darse cuenta de cómo fue que Jezabel logró conseguir su preciada tierra. El rey no podría cargar con algo tan despreciable en su conciencia. Jezabel lo racionalizó diciendo que el rey debía tener lo que quisiera. Ah, el poder de una mujer, tanto para bien como para mal. Si tuviera dos palabras para describir a Jezabel, la llamaría la gran manipuladora. Ten en cuenta esto: si te encuentras manipulando circunstancias, personas, eventos o ideas para satisfacer tus propios intereses, entonces ya sabes en compañía de quién estás.*

1 Reyes 21:4-8 14 Y vino Acab a su casa triste y enojado, por la palabra que Nabot de Jezreel le había respondido, diciendo: No te daré la heredad de mis padres. Y se acostó en su cama, y volvió su rostro, y no comió.

Vino a él su mujer Jezabel, y le dijo: ¿Por qué está tan decaído tu espíritu, y no comes?

El respondió: Porque hablé con Nabot de Jezreel, y le dije que me diera su viña por dinero, o que si más quería, le daría otra viña por ella; y él respondió: Yo no te daré mi viña.

Y su mujer Jezabel le dijo: ¿Eres tú ahora rey sobre Israel? Levántate, y come y alégrate; yo te daré la viña de Nabot de Jezreel.

Entonces ella escribió cartas en nombre de Acab, y las selló con su anillo, y las envió a los ancianos y a los principales que moraban en la ciudad con Nabot.

Jezabel satisfizo los deseos de su marido, pero sus acciones lo hicieron débil. Por causa de ella la nación entera se abrió al juicio de Dios. Esto demuestra el poder que puede tener una mujer malvada.

Si te encuentras diciendo: "Es que así lo quiere mi esposo", o "A mi marido no le gusta eso", cuando en realidad él no ha dicho nada, entonces eres una manipuladora pues estás usando la autoridad de tu marido para salirte con la tuya.

Santurronas mentirosas

Se nos da otro ejemplo en Hechos capítulo 5. Una pareja, Ananías y Safira decidieron vender una propiedad y dar el dinero para ayudar a los necesitados en la iglesia.

Hechos 5:1-10 Pero cierto hombre llamado Ananías, con Safira su mujer, vendió una heredad,

y sustrajo del precio, sabiéndolo también su mujer; y trayendo sólo una parte, la puso a los pies de los apóstoles.

Y dijo Pedro: Ananías, ¿por qué llenó Satanás tu corazón para que mintieses al Espíritu Santo, y sustrajeses del precio de la heredad?

Reteniéndola, ¿no se te quedaba a ti? y vendida, ¿no estaba en tu poder? ¿Por qué pusiste esto en tu corazón? No has mentido a los hombres, sino a Dios.

Al oír Ananías estas palabras, cayó y expiró. Y vino un gran temor sobre todos los que lo oyeron.

Y levantándose los jóvenes, lo envolvieron, y sacándolo, lo sepultaron.

Pasado un lapso como de tres horas, sucedió que entró su mujer, no sabiendo lo que había acontecido.

Entonces Pedro le dijo: Dime, ¿vendisteis en tanto la heredad? Y ella dijo: Sí, en tanto.

9 Y Pedro le dijo: ¿Por qué convinisteis en tentar al Espíritu del Señor? He aquí a la puerta los pies de los que han sepultado a tu marido, y te sacarán a ti.

Al instante ella cayó a los pies de él, y expiró; y cuando entraron los jóvenes, la hallaron muerta; y la sacaron, y la sepultaron junto a su marido.

Dios conoce nuestro corazón. Safira podría simplemente haber respondido a Pedro: "Pregúntale a mi marido".

Detrás de cada gran hombre está...

Proverbios 31 revela a una mujer de honor y fortaleza. Cuando una mujer asume el reto de reverenciar a su marido, puede ser una mujer más poderosa e influyente para bien que lo que Jezabel fue para mal. Dios, quien hizo al hombre, sabe la mejor manera de motivarlo para alcanzar la grandeza. Las instrucciones que encontramos en la Biblia nos muestran a una mujer poderosa la cual apoya a su marido y lo motiva con reverencia, oración, aliento y ayuda. Cuando una mujer hace esto... ¡Oh, lo que puede hacer un hombre con ese tipo de apoyo!

Me gustaría santificar este viejo proverbio y decirlo de esta manera:

Detrás de cada gran hombre está una mujer detrás de la escena.

La mujer detrás de la escena está allí como un ángel que ministra y ayuda a su marido. Ella no está al frente ni lo está empujando para que salga por la puerta. Está allí, constante y fuerte. No está manipulando las cosas para que sucedan conforme a su conciencia o voluntad, sino que está confiando en que Dios dirija a su marido. La influencia de una mujer que está detrás de la escena es poderosa. Ella lo alienta y lo bendice. Puede fortalecerlo y darle el valor que requiere en tantas situaciones. Si no te llevas nada de este mensaje excepto una cosa, entonces que sea esto: cosas increíbles suceden dentro de un hombre cuando su esposa cree en él y lo honra.

Orar por tu marido es ponerlo en las manos de Dios. Como mujer, personalmente no tienes el poder de hacer que tu marido sea grande, bueno o incluso que tenga seguridad en sí mismo. El Espíritu de Dios puede hacer todas estas cosas. Es importante evitar lo siguiente al alentar a tu marido:

> 1. Ser como Jezabel que ayudó a Acab a ser un debilucho al tratarlo como un niño, al defenderlo y al doblegarse a su lloriqueo. (1 Reyes 21).

> 2. Ser como Safira que se unió a su marido para mentirle al Espíritu de Dios y terminó en el sepulcro junto a él (Hechos 5).

> 3. Ser como Eva que influyó en Adán para desobedecer a Dios al tentarlo a hacer lo que Dios le había ordenado que no hiciera (Génesis 3:6).

Tu marido es responsable de sus propias acciones y tú eres responsable de las tuyas. Sin embargo, debes asegurarte de no ser parte de su problema. Asegúrate de ser honesta en el habla y en las acciones hacia él. Si sientes que él es débil en algún área, entonces ora. Ora con toda tu alma y tu corazón para que Dios lo libere. El Dios Todopoderoso es el Gran Libertador.

Capítulo cuatro

Una fuerza que se
debe considerar

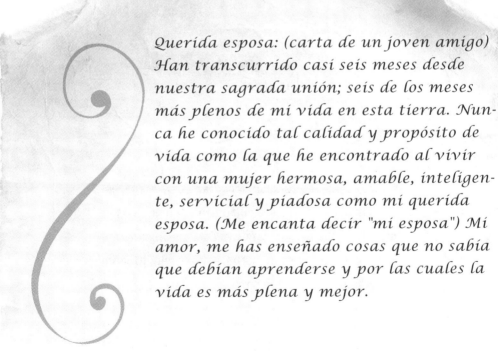

Querida esposa: (carta de un joven amigo) Han transcurrido casi seis meses desde nuestra sagrada unión; seis de los meses más plenos de mi vida en esta tierra. Nunca he conocido tal calidad y propósito de vida como la que he encontrado al vivir con una mujer hermosa, amable, inteligente, servicial y piadosa como mi querida esposa. (Me encanta decir "mi esposa") Mi amor, me has enseñado cosas que no sabía que debían aprenderse y por las cuales la vida es más plena y mejor.

Me has amado bien, lo cual es difícil de creer. No solo has soportado mis boberas e inmadurez, sino que te has reído conmigo y me has aceptado totalmente. No le pones condiciones a tu amor, lo cual no tiene precio. Eres leal y tu corazón es puro. Tienes perspectiva y entendimiento del Señor Jesús y de Su cuerpo que no había visto ni apreciado hasta ahora. Tu servicio a Cristo es de alta reputación. Tu amor por los santos va delante y detrás de ti. He ganado fama y reputación simplemente por ser tu marido. Llamarte mía es para mí una alegría y un honor de inmensas proporciones.

¿Qué más puedo decir? Tiempo me falta para expresar todo lo que hay que decir respecto a tu valor. Me basta con citar a un sabio de la antigüedad que sabía algunas cosas sobre el amor:

Cantares 4:9-10 Prendiste mi corazón, hermana, esposa mía; Has apresado mi corazón con uno de tus ojos, Con una gargantilla de tu cuello. ¡Cuán hermosos son tus amores, hermana, esposa mía! ¡Cuánto mejores que el vino tus amores!

Ella lo dejó ser

La historia del Sr. y la Sra J. Frank y Lillian Norris.

Cuando pienso en una mujer detrás de la escena, pienso en la ilustración de John Frank Norris, un predicador bautista que vivió y predicó durante los años cincuenta. Era un hombre poderoso y un predicador muy influyente. Servía como pastor en dos iglesias al mismo tiempo, una en Fort Worth, Texas y la otra en Detroit, Michigan. Volaba de un lado a otro, una semana en esta iglesia, la siguiente en la otra.

A principios de la década de 1930, el hermano Norris era sólo un joven predicador que seguía luchando y fracasando. Tenía muchas, muchas necesidades en su vida. Aunque trabajaba arduamente, parecía que nadie venía al Señor. Su ministerio era aburrido y pocos estaban interesados en escuchar lo que fuera que tuviera que decir. Estaba deprimido y desanimado. Decía en su corazón: "Voy a darme por vencido".

Su joven esposa vio su lucha y percibió que tenía necesidad del poder de Dios. En lugar de sentarlo y decirle que era un fracaso o que debiera predicar algo que no fuera tan soso y aburrido, esta querida señora decidió ayunar y orar por su marido. Destinó tres días para orar y ayunar mientras su marido estaba ausente en unas reuniones. Notarás que esta joven esposa dejaba ir a su marido fuera de la ciudad para ministrar. Esta fue lo primero que hizo— que lo dejó ser lo que Dios le había llamado ser.

Lo que esta señora no sabía era que en el corazón de su marido, éstas eran las últimas reuniones en las que tenía la intención de predicar. Ella ni idea tenía que él había dicho en su corazón: "Se acabó". "Me doy por vencido". "Ya no doy más". "Soy un fracaso". "No sirvo para esto, así que voy a dejarlo". "Después de estas reuniones, terminaré".

Bueno, pues durante la última noche de esas reuniones, el hermano Norris se puso de pie para predicar y de repente le sucedió algo que nunca antes le había sucedido. El Espíritu del Altísimo vino sobre él y predicó como nunca antes lo había hecho. Predicó con poder y convicción sabiendo que Dios estaba sobre él y que tenía un mensaje que dar. Fue una noche para recordar. El pecador más endurecido de toda la comunidad estaba sentado en la última fila de la iglesia esa noche. Caminó llorando por el pasillo y se arrepintió delante de Dios. Alguien más estaba allí y vio el milagro de la conversión de ese hombre y también se acercó a orar y se arrepintió. Antes de que Norris supiera lo que estaba sucediendo, el edificio era un pandemonio y se produjo un avivamiento. La gente lloraba y reía arrepintiéndose y alabando a Dios. Fue un momento glorioso para la eternidad.

Lleno de emoción, Norris llamó a su esposa a la mañana siguiente y dijo: "¡Cariño, no vas a creer lo que está pasando aquí y lo que pasó anoche!"

Le comenzó a contar la historia a esa mujer de oración y ella dijo: "¡Oh, alabado sea Dios! Dios es tan bueno. Gracias Jesús". El hermano Norris nunca volvió a ser el mismo predicador aburrido. Había gustado lo que Dios quería que hiciera y él sería un vaso dispuesto. *Su esposa que oraba por él estaba en casa con los pequeños. Ella fue la mujer detrás de la escena que creyó en él cuando casi había perdido la esperanza en lo que había sido llamado a hacer. Gracias a Dios por la señora Norris. Miles de personas que se salvaron por medio de la predicación de este hombre que casi renunció, un día estarán de pie ante el trono alabando a Dios. Nunca subestimes lo que Dios puede hacer si oras.*

Una influencia estabilizadora

El Sr. y la Sra. D.L. y Emma Moody

D.L. Moody fue otro poderoso hombre de Dios que tuvo una gran influencia para Dios durante su ministerio. Moody tenía a su amada esposa Emma que viajaba con él y enseñaba a los niños durante el viaje, y muchas veces desempeñaba tareas domésticas durante su ministerio evangelístico. Según él, ella fue una de las influencias más estabilizadoras de su vida.

Ella rebosaba gentileza y amabilidad. Su ejemplo puede haber motivado al gran evangelista a convertirse en un compasivo ganador de muchas almas. ¿Quién va a recibir la gloria en aquel día?

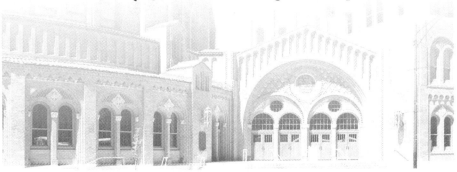

Sabía que tenía alguien quien abogaba por él

El Sr. y la Sra. John y Elizabeth Bunyan

La mayoría de nosotros hemos leído, o al menos hemos oído hablar del libro *El progreso del peregrino*. Fue escrito en 1678. ¿Sabes de otros libros que fueron escritos hace tanto tiempo y que aún se leen ampliamente? ¿Sabías que John Bunyan estaba en la prisión cuando lo escribió? John Bunyan fue bendecido con su esposa Elizabeth quien creyó en la confianza que tenía su esposo para mantenerse firme. Oraba por él y se mantuvo apoyándolo fielmente mientras estuvo encerrado en la prisión por doce largos años. Cuidó de los cinco hijos de su marido, uno de los cuales era ciego, y lo visitaba en la cárcel fielmente. Nunca lo incitó a llegar a un acuerdo para que pudiera volver a casa y ayudarla a mantener a la familia. Solo la eternidad revelará el papel que ella jugó en la redacción del *Progreso del peregrino*. Fue una mujer detrás de la escena que algún día se conocerá.

Elizabeth Bunyan suplica ante el juez Hale por su marido.

Una continua fuente de aliento

El Sr. y la Sra. Robert y Mary Moffat

Robert Moffat tenía a su esposa Mary quien con mucho sacrificio estableció su hogar en una choza de barro rodeada por una selva. Su fe en Dios y su confianza en Robert se convirtieron en una continua fuente de aliento para él.

Esto fue en 1820 cuando la vida misionera pionera era muy ardua. Los tiempos difíciles y el vivir en un lugar tan primitivo y peligroso no dieron pie a que Mary se diera por vencida. Más bien ayudó a su marido y juntos establecieron una de las misiones más efectivas en cientos de millas alrededor.

Aunque mi situación puede ser ciertamente despreciable y miserable a los ojos del mundo, siento que se me ha conferido un honor que el más alto de los reyes de la tierra no podría haberme concedido; y añado a esto el ver a mi querido marido clamando por la salvación del pueblo con un ardor inquebrantable, resolviendo con firmeza dirigir todo talento que Dios le ha dado para el bien del pueblo y para Su gloria. Soy feliz, increíblemente feliz, aunque mi vivienda actual es solo un pequeño cuarto con paredes y piso de barro.

—Mary Moffat en una carta a sus padres, 8 de abril de 1820

Por el llamado eterno

El Sr. y la Sra. Adoniram y Ann Judson

Adoniram Judson tenía su ayuda idónea que se llamaba Ann. Fue la primera y la más famosa de tres esposas misioneras que tuvo Adoniram. Juntos fueron misioneros pioneros en el país de Birmania, que está en un área del mundo cerca de Tailandia. Soportaron muchas dificultades a fin de plantar la primera iglesia de creyentes en Birmania. Ella era esposa, madre, traductora y sirvienta de su marido mientras estuvo en prisión por dos años. Es difícil imaginar el papel de una esposa misionera. Ella no solo dio su apoyo a su marido, también dio su vida al servicio del Rey de Reyes, el Señor Jesucristo.

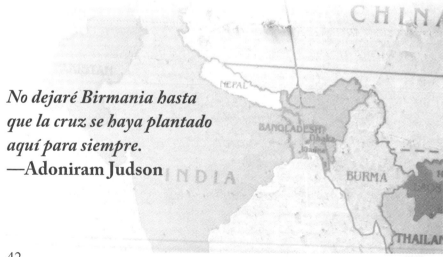

No dejaré Birmania hasta que la cruz se haya plantado aquí para siempre.
—**Adoniram Judson**

Carta de Adoniram Judson a su futuro suegro

"Ahora tengo que preguntar, ¿puede usted consentir a separarse de su hija a principios de la próxima primavera para no verla más en este mundo? ¿ Puede usted consentir a su partida a una tierra pagana y a someterse a las dificultades y a los sufrimientos de la vida misionera? ¿Puede consentir a que la exponga a los peligros del océano; a la influencia fatal del clima del sur de la India; a todo tipo de carencia y sufrimiento; a la degradación, el insulto, la persecución y tal vez a una muerte violenta? ¿Puede usted dar su consentimiento a todo esto por el bien de quien dejó Su hogar celestial y murió por ella y por usted; por el bien de las almas inmortales que están pereciendo; por el amor a Sión y para la gloria de Dios? ¿Puede consentir a todo esto con la esperanza de encontrarse pronto con su hija en la gloria con una corona de justicia, iluminada por las aclamaciones de alabanza que resonarán delante de su Salvador de parte de los paganos que con su ayuda se salvaron de la eterna aflicción y condenación?"

A. Judson

La fuerza callada

Puedes ver por qué estos hombres son bien conocidos: tenían la fuerza de una mujer detrás de la escena que les daba la ayuda que necesitaban para mantenerse fieles y fuertes. Los maridos de estas mujeres se enfrentaron a muchas dificultades y peligros en la tarea de difundir las buenas nuevas y cada esposa sufrió terribles adversidades. Sin embargo, ellas recibieron un llamado eterno al igual que sus maridos. Cada una era una mujer detrás de la escena que honraba a Dios al honrar a su marido. ¡El rostro sonriente de una esposa no tiene precio!

El hombre común y corriente

No se pretende que todos los hombres deban ascender a un lugar de prominencia y deban quedar registrados en las páginas de la historia. No todos serán líderes en la iglesia o ejercerán influencia fuera de su círculo de conocidos y su familia. Y así es como debe ser. El mundo necesita albañiles, carpinteros y fabricantes de ropa. Tales hombres fueron los que Dios llenó del Espíritu Santo para hacer su mejor obra en el templo. (Éxodo 28:3; 31:3) La Biblia nunca registró sus nombres, pero Dios los conoce y vivieron la vida con la satisfacción de haber realizado su trabajo común de una manera única y encomiable. "Y todo lo que hagáis, hacedlo de corazón, como para el Señor y no para los hombres. (Colosenses 3:23).) Estos hombres eran obreros muy trabajadores, y no obstante, hicieron la obra de Dios. Cada hombre tiene sus dones y habilidades. Tantos hombres que podrían haber sido albañiles llenos del Espíritu y bendecido a sus hogares y a aquellos con quienes trabajaban han fracasado por la ambición de sus esposas de que sean algo más que sus dones. No importa cuánta oración se haga o cuánto se desee, un hombre no puede convertirse en alguien diferente de quien Dios lo llama a ser. La esposa debe ser la ayuda idónea de su marido. Son los dones e intereses del marido lo que define el área en la que ella necesita ser su ayuda.

Hace muchos años conocí a un joven que tenía muy pocos dones o habilidades habiendo sido criado por un padre abusivo y malo. Pero conoció y se casó con una jovencita muy talentosa, hermosa y muy joven quien buscaba salir de casa tan·pronto como fuera posible, de lo contrario no se hubiera casado con él. Sus primeros años de matrimonio fueron terribles, pero luego la joven conoció verdaderamente al Salvador. Al leer la Biblia, llegó a entender que el honor y la reverencia a su esposo traerían gloria a Dios. Cualquiera

No importa cuánta oración se haga o cuánto se desee, un hombre no puede convertirse en alguien diferente de quien Dios lo llama a ser.

que conociera a su marido sentiría que su obediencia y honor a él serían sobrenaturales, pues era un sacrificio tan grande y tan injustificado por sus acciones y conducta.

Sin embargo, esta muchacha amaba al Señor su Dios y sobre todo deseaba hacer Su obra. Ella sabía que como mujer casada, su obra para Dios era servir a su marido. Estaba claro que aunque el hombre llegara a ser salvo, nunca sería un predicador ni un maestro, ni sería capaz de ganar más que el salario mínimo. Simplemente no tenía suficiente inteligencia para lograr mucho. Además, era obvio que estaba mental y emocionalmente lisiado por los abusos sufridos a manos de su padre. Esta hermosa joven sabía que su honor a su marido era la voluntad de su Señor y a la vez, la única esperanza para su marido. Vertió toda su atención en decirle a diario cuando entraba en la casa al regresar de su trabajo en la fábrica, que era un hombre fino y trabajador. Le daba un beso de despedida cada mañana cuando salía al trabajo y le agradecía su sacrificio en servir a la familia. El

Ella sabía que como mujer casada, su obra para Dios era servir a su marido.

marido empezó a verse a sí mismo como ella lo veía: trabajador, responsable y cumplidor. Como ser humano, había momentos en que casi perdía la esperanza, pero Dios es capaz. El hombre sabía que su esposa era una joya. Escuchó a sus compañeros de trabajo hablar de sus esposas irascibles y perezosas, pero él solo tenía cosas buenas qué decir de la suya. Sabía que pensaban que era muy afortunado al haber encontrado a una mujer fiel que lo apoyaba. Con el paso de los años comenzó a

La abuela hizo más que orar; obedeció a Dios al honrar y reverenciar a su marido.

tratarla con más respeto hasta que llegó a querer complacerla. Y finalmente llegó a conocer al Señor.

Era el mismo tipo después de venir al Señor, pero ahora le encantaba ir a la iglesia. Decía que amaba la iglesia por dos razones: quería saber más acerca de Jesús y le encantaba hacer feliz a su mujer que le había hecho bien y no mal todos los días de su vida.

Ahora, ya están viejos y tienen muchos nietos y bisnietos. A los niños les encanta ir a pescar y construir cosas con su apacible, amable y paciente abuelo. Están seguros con él, ya que no es el hombre violento e iracundo que era antes y tampoco es el hombre malvado que era su padre. Nadie de la familia sabe que fue el honor y la reverencia de la abuela hacia el abuelo lo que rompió las cadenas del diablo en esa familia, ellos saben solamente que su familia es diferente a las de sus otros parientes. Los hijos de la abuela son educados, felices, capaces y están criando a sus hijos para conocer y amar al Señor. La abuela hizo más que orar; obedeció a Dios al honrar y reverenciar a su marido. Su historia no está registrada en las páginas de la historia; fue grabada en las páginas de mi vida. Yo conocía al repugnante y malvado padre que hacía daño a sus hijos. Vi el quebrantamiento de los hijos e hijas, y hasta de los nietos. Cuando la joven esposa vino a verme buscando ayuda, yo era una joven esposa de predicador y nunca había aconsejado a nadie. Su obediencia a Dios en honrar y reverenciar a su marido creó fe en mí y me dio valentía y confianza. Vi que Dios ciertamente era capaz. Hoy, casi 50 años después, millones de mujeres leen mis libros que les enseñan cómo tener matrimonios gloriosos al honrar y reverenciar a sus maridos. Aprendí primero de esta jovencita.

Una simple oración abrió las puertas del cielo

El Sr. y la Sra. Denny y Jackie Kenaston

(la propia historia del autor)

¡Oh, el poder de una unidad de apoyo en medio del conflicto espiritual! Hubo un día en que se libraba una batalla feroz por estas enseñanzas.

Quería predicar el mensaje a los maridos y luego un mensaje a las esposas, pero me empezó a fallar la voz. Nadie sabía de la lucha física por la que estaba atravesando, a excepción de unos pocos con quienes habíamos estado orando. Estaba en medio de una intensa reunión de oración donde hombres y mujeres se dirigían a Dios con fervor. El lugar estaba vivo con oración y acción de gracias. Mi esposa no podía entrar en la habitación porque estaba tan llena de gente. No estaba allí. Entonces Dios me dijo: "Levántate, ve a buscar a tu esposa y pídele que ore por ti". Me levanté y me abrí camino entre la multitud y encontré a mi querida esposa. Me puse de rodillas en mi pequeño estudio. Me impuso sus manos y oró. Al clamar a Dios por mí, el cielo bajó. Permanecí arrodillado y lloré como un bebé. Supe que Dios había escuchado, pues sentí que mi fuerza regresaba. Dios aclaró mi voz para poder enseñar esa noche. Todos aquellos guerreros de oración que estaban de rodillas en la sala no pudieron romper las nubes que estaban sobre mí, pero la sencilla oración de mi dulce esposa abrió las puertas del cielo sobre mi corazón y mi mente. Necesitaba que ella fuera mi guerrera de oración. *Tu marido necesita que ores por él. Todo esposo necesita sentir que su esposa está allí con él apoyándole. El hombre es muy vulnerable delante de su esposa. La mujer tiene poder sobre su marido. ¡Oh, que use ese poder para orar y apoyarlo a hacer lo que Dios le ha encomendado!*

Nunca subestimes lo que Dios puede hacer si oras.

*Porque la palabra de
Dios es viva y eficaz, y
más cortante que toda
espada de dos filos; y
penetra hasta partir
el alma y el espíritu,
las coyunturas y los
tuétanos, y discierne
los pensamientos y las
intenciones del corazón.
Hebreos 4:12*

Capítulo cinco

Seamos honestas

**La reverencia puede animar a tu esposo
para que Dios lo pueda convertir en un hombre piadoso.**

He recibido muchas cartas de mujeres que dicen: "Quiero esta vida de la que hablas. Entiendo lo que dices y quiero ayudar a mi marido, ¿cómo puedo ayudarlo? Es que simplemente no le importan sus responsabilidades ante Dios".

La mayoría de las veces es fácil leer entre líneas de esas cartas y ver que realmente la mujer está diciendo: "Estoy harta de este tipo y de su manera de ser. ¿Por favor, puedes decirme cómo cambiarlo?"

No, no puedo decirte cómo cambiarlo. Pero si quieres saber cómo puedes ser de apoyo para ese hombre, sí puedo decirte. Dios no bendice a las hermanas que santifican a la manipulación. Anota esto. La manipulación, de la manera que la pintes, nunca será bendecida por el Espíritu de Dios. Creo que Eva estaba manipulando cuando comió el fruto. Sabía que Adán no lo tocaría, pero estaba convencida de que los haría más sabios, así que lo tomó y se lo dio a su marido. Si renuncias a algún pecado como esposa, que sea el de manipular a tu marido.

> **Dios no bendice la manipulación "santificada".**

Si eres una hermana joven aún sin casar, entonces necesitas proponerte de corazón evitar el manipular a nadie por cualquier razón, ya sea hermanos o hermanas menores, amigos o padres. Lo que seas de joven, es lo que serás de casada. No practiques la manipulación de personas o circunstancias para adaptarlas a tus convicciones. A todos les desagrada que los manipulen, pero los maridos francamente se resisten y encuentran repulsivas a las mujeres que lo hacen. En lugar de manipular, trata de usar lo que Dios dijo a las esposas que emplearan: la reverencia.

La reverencia

La reverencia puede alentar a tu marido para que Dios lo pueda convertir en un hombre piadoso.

Efesios 5:33... y la mujer respete* a su marido.

*Según el griego es: reverenciar

Veamos la palabra *reverencia*. La reverencia es una de las cualidades más motivadoras y efectivas en las relaciones humanas. Puede fluir de una mujer a un hombre, o incluso de un hombre a un hombre. Voy a enumerar una lista de palabras que se utilizan para describir la reverencia.

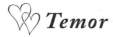 Temor

Hay una definición impactante del diccionario de Webster 1828 sobre la palabra *reverencia*. Por regla general, la primera definición es la más definitiva.

Temer: reverenciar a alguien es temerlo.

Esto puede hacer que la mujer moderna grite en oposición. "¿Temer? ¡No voy a temer a mi marido!" Sin embargo, hasta el diccionario describe la reverencia como "temor mezclado con respeto y afecto".

¿Por qué deberías temer a tu marido?

Cuando el mundo te mira y te ve reverenciar a tu marido como lo harías con Cristo, y cuando mira a tu marido amarte y cuidarte como Cristo ama a la Iglesia, ven un retrato de Cristo y la Iglesia. Pablo lo llama un "misterio". Tu temor a tu esposo es un ejemplo de cómo la humanidad debería temer y obedecer a Dios. No en el sentido de tenerle terror a que nos haga mal, porque Dios es bueno, sino que en el sentido de tener temor real de perder Su favor, protección y provisión. Este temor piadoso es reconocer la posición y el poder de Dios.

Temer a tu marido es demostrar el mismo conocimiento de que él es responsable de tu bienestar y de que tú descansas en sus manos. Al mismo tiempo estás demostrando tu temor a Dios. ¡Qué testimonio puedes tener!

Efesios 5:32-33 Grande es este misterio; mas yo digo esto respecto de Cristo y de la iglesia. Por lo demás, cada uno de vosotros ame también a su mujer como a sí mismo; y la mujer respete a su marido.

 *Someterse*

Si reverencias a alguien, te someterás a él. La palabra *someterse* significa subordinar la voluntad o el juicio al de otra persona. *Someterse* va un paso más allá de *obedecer*. La obediencia se puede hacer como un acto externo, pero la sumisión requiere una actitud de sometimiento con obediencia. Esto es hermoso para Dios. La sumisión es lo que Cristo demostró en Su relación con Su Padre cuando caminó por la faz de la tierra.

Cuando Jesús se arrodilló a orar en el jardín antes de Su cruci-fixión, estaba muy angustiado por lo que le esperaba, el camino por el que le estaba llevando Su Padre. Sin embargo, oró en sumisión:

Lucas 22:42 Diciendo: Padre, si quieres, pasa de mí esta copa; pero no se haga mi voluntad, sino la tuya.

La Biblia enseña que la mujer debe someterse a su marido "como al Señor". ¿Es porque es tan bueno como Cristo? No. Es porque Jesús es bueno; tiene sentido someterse a Él.

Efesios 5:22: Las casadas estén sujetas a sus propios maridos, como al Señor;

Colosenses 3:18 Casadas, estad sujetas a vuestros maridos, como conviene en el Señor.

♡ *Prestar atención*

La reverencia también incluye la *atención*.

Sí, fíjate en tu marido. Presta atención a lo que dice. Presta atención a lo que está sintiendo. Obsérvalo con los ojos y considéralo con tu mente. El acto por el cual obtenemos conocimiento de alguien es centrarnos en él. Vuelve tus ojos a tu marido con interés solícito en lo que está haciendo.

El marido sabe cuando su esposa está evitando mirarlo. Es un acto de rebelión, desinterés y muestra que no lo reverencia. Es lo opuesto a lo que Dios te llama a hacer y ser hacia tu marido. Tu marido debe sentir tus ojos interesados teniéndolo en cuenta cuando esté alrededor. Debe saber que estás considerando sus necesidades para satisfacerlas.

Salmos 102:17 Habrá considerado la oración de los desvalidos, Y no habrá desechado el ruego de ellos.

¿Cómo puedes reverenciar a alguien a quien no le prestas atención? *Poner atención* significa "prestar atención concentrada y meditarlo seriamente". Cuando estimas algo, le das valor. Si quieres que tu marido sea un líder, entonces guarda silencio y escucha cuando habla. Pon atención a las cosas que dice y considéralas. Hablará más. Tomará más el mando. Enfrentará sus responsabilidades y se comportará como un hombre. *Las pequeñas actitudes a menudo conducen al éxito o al fracaso de un matrimonio. Esta es una de esas curas simples que traen mucha sanación.*

♡ Honrar

Incluido en la reverencia está el honor: "la expresión externa de respeto o alta estima por medio de tus palabras o acciones". También puede significar "adornar, ornamentar y decorar algo o a alguien". Esta es la misma palabra que se usa para describir "honrad al rey". También es lo que sucede cuando se condecora o se honra a un héroe de guerra.

Honra a tu marido con tus palabras y acciones. Nunca te arrepentirás de haberlo hecho.

♡ Preferir

Reverenciar a tu marido también significa que vas a preferirlo a él. La palabra preferir significa "anteponer, considerar a alguien como mejor que tú". En lenguaje práctico significa anteponer los deseos, opiniones e ideas de tu marido a las tuyas. No te puedes imaginar la confianza que se crea en un hombre cuando siente que de lo profundo de tu corazón estás más interesada en lo que piensa él que en lo que piensas tú.

Preferir también significa ceder ante la opinión o juicio de otra persona por respeto y honor. Esta es la cualidad más hermosa que puede tener una esposa. Ella puede expresar este edificador de confianza a menudo, ya que siempre hay muchas opiniones en el matrimonio.

Déjalo ser un hombre ante Dios y no un supuesto hombre ante ti.

Muchos hombres están interesados en una conversación bilateral con aporte real de sus esposas. Es importante descubrir lo que prefiere tu marido — hasta en tu relación con él. Puede irritarle si él desea tu verdadera opinión y tú simplemente asientes y repites sus propias palabras. Sobre todo, averigua en detalle quién es tu marido y prefiere su concepto de lo que es una buena comunicación.

 Estimar

Solo Dios merece adoración, pero el que un hombre sienta que su esposa lo valora a él, lo que hace y lo que dice, afecta enormemente su capacidad de liderazgo. No te puedes imaginar lo mucho que esto lo fortalecerá. Estimar a alguien es "valorarlo o atribuirle un gran valor". ¿Tienes una elevada opinión de tu marido? ¿Le has dado un lugar elevado y especial de honor en tu mente con tus palabras y acciones? Eso es estimar.

Básicamente, lo que estoy diciendo es déjalo ser. Déjalo ser un hombre ante Dios y no un supuesto hombre ante ti. Estará tan entusiasmado para hacer lo que le corresponde hacer si siente libertad y una reverencia incondicional que sale de tu corazón. Prefiérelo y tenlo en alta estima. Valóralo y respétalo. ¿Estimas lo que dice Dios acerca de tu actitud hacia tu marido? En los Salmos, Dios nos recuerda estimar sus preceptos, o sea, sus enseñanzas.

Salmos 119:128 Por eso estimé rectos todos tus mandamientos sobre todas las cosas, Y aborrecí todo camino de mentira.

 Alabar

Alabar es " elogiar, expresar valor con palabras". Es elevar o exaltar a alguien con palabras de estima y gratitud. Esta palabra es una buena expresión exterior de muchas de las palabras que ya hemos repasado. Si tienes la actitud de honor, elogiarás a tu marido con tus palabras. Si tu atención está centrada en él, entonces observarás cuando haga algo grande y enseguida lo alabarás. La alabanza es como el combustible en el fuego del corazón de tu marido. Hará cosas que nunca soñaste que pudiera hacer.

La palabra alabar *aparece 82 veces en la Escritura. La alabanza no es una emoción, actitud o práctica religiosa. La alabanza es una acción. Es hacer algo. Alabar es dar las gracias, es cantar tu agradecimiento, es levantar tus manos en acción de gracias, o tocar un instrumento musical como expresión de tu agradecimiento hacia el Señor. La alabanza es un acto de obediencia.*

> **Salmos 51:15 Señor, abre mis labios, Y publicará mi boca tu alabanza.**

> **Salmos 54:6 Voluntariamente sacrificaré a ti; Alabaré tu nombre, oh Jehová, porque es bueno.**

> **Salmos 56:10 En Dios alabaré su palabra; En Jehová su palabra alabaré.**

 *Amar*

El amor es "un deseo espontáneo, libre y voluntario por alguien; es estar complacido con, y considerar con gran afecto. El amor es un ardiente compañerismo que surge de una alta estima, una palabra de cariño". El amor de una mujer es sin duda la motivación más fuerte en la vida de un hombre. Le hará hacer y llegará a ser mucho más grande de lo que hubieras pensado que podía hacer o llegar a ser. Observa el amor de un hombre por una mujer con la que quiere casarse y que le corresponde. Verás lo que luchará por ella. ¡Hará cualquier cosa!

♡Admirar

Por último, reverenciar a alguien es admirarlo sobremanera. *Admirar* significa "detenernos a observar y contemplar maravillados. A considerar con un gran afecto y con un placentero respeto y asombro". ¿Tu marido siente tu admiración? Puede ser que lo hayas admirado más antes de casarte con él de lo que lo admiras ahora. Recobra esa admiración. Recuerda aquellas cosas que te impresionaron de él hace mucho tiempo y admíralo nuevamente.

¿Qué harás?

Efesios 5:33... y la mujer respete* a su marido.

*Según el griego es: reverenciar.

Te he dado una lista de palabras que describen el acto de reverenciar. Hay tres maneras de responder a esta lista que acabas de recibir.

¿Tu marido siente tu admiración?

Puedes responder en forma descuidada e indiferente y descartarla sin darle importancia. Recuerda que a Jezabel se le educó descuidadamente.

Puedes sentirte abrumada por ella y renunciar desalentada. (¡No escuches a Satanás! ¡Dios dice que tomes tu lugar!)

Puede ser que te haya inquietado, motivado y persuadido. Puedes levantarte en fe y disponerte a hacer lo que Dios te ha ordenado. (Escribe tu compromiso con Dios para que lo puedas releer cada semana.)

Mi oración es que hagas esto último con visión y propósito en tu corazón a partir de hoy. Todos los principios de la Biblia son eficaces y efectivos. Si dejas caer una piedra en un estanque, las ondulaciones de esa roca siguen y siguen. Tu obediencia a Dios afectará tu vida, la de tu marido, la de tus hijos, la de tus amigos, y posiblemente a las generaciones venideras. Esta es la ley de la siembra y la cosecha. Si eliges reverenciar a tu marido, obtendrás una cosecha abundante.

Lo contrario también es cierto; no podemos escapar del principio de la siembra y la cosecha. Dios Todopoderoso, el Creador, ha puesto en movimiento estas leyes de causa y efecto y te ha dado poder para levantar una buena o una mala cosecha. A tu marido se le puede conocer como el hombre que se sienta a las puertas (Proverbios 31) o el hombre que se acuesta en la cama con su rostro hacia la pared (Acab). ¿Qué clase de marido quieres? La dama de Proverbios 31 quien es aclamada por ser una mujer de gran precio, tiene el privilegio de que su marido esté en una alta posición. Dios nos da esta porción de información justo a la mitad de donde nos dice cómo pasa esta buena mujer su día. Parecería que Dios está diciendo que su estilo de vida hace posible que su marido esté en la cima.

Proverbios 31:23 Su marido es conocido en las puertas, Cuando se sienta con los ancianos de la tierra.

El amor de una mujer es sin duda la motivación más fuerte en la vida de un hombre.

Proverbios 31

Mujer virtuosa, ¿quién la hallará? Porque su estima sobrepasa largamente a la de las piedras preciosas.

El corazón de su marido está en ella confiado, Y no carecerá de ganancias.

Le da ella bien y no mal Todos los días de su vida.

Busca lana y lino, Y con voluntad trabaja con sus manos.

Es como nave de mercader; Trae su pan de lejos.

Se levanta aun de noche Y da comida a su familia Y ración a sus criadas.

Considera la heredad, y la compra, Y planta viña del fruto de sus manos.

Ciñe de fuerza sus lomos, Y esfuerza sus brazos.

Ve que van bien sus negocios; Su lámpara no se apaga de noche.

Aplica su mano al huso, Y sus manos a la rueca.

Alarga su mano al pobre, Y extiende sus manos al menesteroso.

No tiene temor de la nieve por su familia, Porque toda su familia está vestida de ropas dobles.

Ella se hace tapices; De lino fino y púrpura es su vestido.

Su marido es conocido en las puertas, Cuando se sienta con los ancianos de la tierra.

Hace telas, y vende, Y da cintas al mercader.

Fuerza y honor son su vestidura; Y se ríe de lo por venir.

Abre su boca con sabiduría, Y la ley de clemencia está en su lengua.

Considera los caminos de su casa, Y no come el pan de balde.

Se levantan sus hijos y la llaman bienaventurada; Y su marido también la alaba:

Muchas mujeres hicieron el bien; Mas tú sobrepasas a todas.

Engañosa es la gracia, y vana la hermosura; La mujer que teme a Jehová, ésa será alabada.

Dadle del fruto de sus manos, Y alábenla en las puertas sus hechos.

"[Antes de casarnos, mi madre] dedujo sabiamente que el marido que había elegido no era un hombre común, que toda su vida estaba absolutamente dedicada a Dios y a Su servicio y que jamás, pero jamás, debía obstaculizarlo, tratando de ponerme en el primer lugar de su corazón".
—Susannah Spurgeon

Capítulo seis

Cómo hacer que tu
esposo sea débil

¿Recuerdas quién es tu enemigo?
No es tu marido, ni siquiera es tu carne,
ni son tus circunstancias o problemas de dinero.

Enseguida te digo cómo puedes hacer que tu marido sea un hombre débil y tímido, alguien que se sienta en un rincón y que no habla mucho, alguien que tiene miedo de iniciar una conversación o tomar decisiones; uno que siempre volteará a ver qué piensas antes de él hablar. Que Dios nos ayude.

$\mathcal{E}$sto es lo que tienes que hacer: Ignora lo que diga. No le prestes atención cuando esté a tu alrededor. Cuando llegue del trabajo, no lo saludes. Mira hacia otro lado o cambia de tema cuando él esté hablando; Deshónralo; menosprécialo conforme caminan juntos por la vida. No le cumplas sus deseos que tiene para el hogar y la familia. Recházalo y dile que no te estorbe. Señálale todas sus faltas. Hazle sentir que tus ideas son mejor, más inteligentes, más sensatas, más astutas y desde luego, que logran mejores resultados. Hazle sentir tu desaprobación sin decir palabra. Manipula las circunstancias cuando pienses que él ha tomado una decisión inferior, ya que le irritará y le hará simplemente querer dejar de seguir tratando.

Te garantizo que en cinco años tendrás un marido sentado en el rincón o un hombre enojado y amargado que evita volver a casa.

¿Te han mentido?

¿Recuerdas quién es tu enemigo? No es tu marido, ni siquiera es tu carne, ni son tus circunstancias o problemas de dinero. Tu enemigo son potestades, principados y gobernadores de las tinieblas. Esta es una guerra con el mal y el enemigo quiere que tropieces, que fracases, te quiere abatida, que pierdas las esperanzas, que te enojes y que dejes de creer y de confiar en Dios. Quiere usarte para mantener débil a tu marido. Él quiere que dudes de las PALABRAS de Dios.

> **Efesios 6:12-14 Porque no tenemos lucha contra sangre y carne, sino contra principados, contra potestades, contra los gobernadores de las tinieblas de este siglo, contra huestes espirituales de maldad en las regiones celestes. Por tanto, tomad toda la armadura**

de Dios, para que podáis resistir en el día malo, y habiendo acabado todo, estar firmes. Estad, pues, firmes...

El diablo es un mentiroso. Ha estado engañando a millones de mujeres. Muchas de ellas son mujeres cristianas. Las mentiras del diablo han devastado y debilitado a toda una generación de hombres.

Todos cometemos errores, tanto hombres como mujeres. Nosotros los hombres somos una generación que no tuvo líderes y ahora estamos tratando de ser líderes. Queremos hacer lo correcto, pero toma un poco de tiempo aprender algo nuevo y la hombría practicada a la manera de Dios es una cosa nueva y completamente diferente. He visto a hombres que oran y claman a Dios que los fortalezca para poder caminar de esta nueva manera. Pueden tropezar y caer unas cuantas veces. No han visto un ejemplo de lo que es ser un marido y un padre piadoso. Lo están entendiendo por primera vez. Te animo a tener paciencia con amor y esperar a que tu marido aprenda a ponerse de pie, a andar y a liderar.

¿Recuerdas quién es tu enemigo?

Hace tiempo, yo estaba animando a una mujer que asistía a un estudio familiar de la Biblia a sentarse con una sonrisa en el rostro en señal de apoyo, aun cuando sabía que su marido estaba haciendo un enredo de lo que estaba tratando de hacer. Esto me recuerda cuando elegimos a un hombre para el puesto de anciano en el cuerpo de Cristo. *(Los ancianos de esta iglesia son elegidos por sorteo, no por sus dones.)* Al principio, el nuevo anciano no está seguro de cuál es su nuevo papel y está un poco nervioso. Siente que todos lo están observando y así es. *Por lo regular,*

*es aburrido en sus mensajes y todos sufrimos un poco
ante los largos minutos de aburrimiento. A menudo es
renuente a seguir adelante con sus deberes y se niega
a cooperar, así que todos tenemos que redoblar nuestros esfuerzos para hacer su trabajo. Está aprendiendo a liderar. Está aprendiendo a confiar. Está aprendiendo el trabajo de ser un hombre que está a cargo
del rebaño. No es fácil ser puesto en una posición de
autoridad y responsabilidad.*

Yo no tengo un marido piadoso, ¿por qué debería tratarlo como si fuera piadoso?

La lista anterior de las palabras que definen la reverencia entra en juego cuando apoyamos al nuevo anciano mientras aprende su papel y gana confianza ante Dios y ante el hombre. Necesita aliento. Necesita un "amén" cuando lo intenta o una palmadita en la espalda. Ese es su principio. Dos años más tarde ese anciano es un ministro confiable y eficaz en la Palabra.

Pero piensa por un momento en lo que sucedería con ese nuevo líder si se le tratara de manera diferente. ¿Qué si no le escucháramos cuando tratara de hablar? ¿Qué si volteáramos la cabeza y frunciéramos el ceño mientras intenta predicar? *¿Y qué si bajáramos la cabeza como si nos sintiéramos avergonzados?* ¿Qué si tú o alguien más le escribiera una nota para decirle que no lo está haciendo muy bien? ¿Qué clase de anciano crees que sería en dos años? Puedo decirte que sería un títere (lo cual no es un anciano en lo absoluto), o simplemente renunciaría (o sea, que no sería un anciano de ninguna manera).

¿Se dan cuenta? Entendemos estos principios cuando los sacamos del ámbito del hogar y de la familia. Entendemos cómo trabajan para alentar y apoyar a alguien que esperamos que tenga éxito. Por lo tanto, que Dios nos ayude a llevar este conocimiento de regreso a la casa. Déjenme darles un consejo, esposas e hijas. Les animo a tomar esta lista de palabras de reverencia y memorizarla e internalizarla en su alma y en su corazón. Péguenla en su refrigerador y consúltenla diariamente. Oren y pídanle a Dios que la haga realidad en su corazón. Resistan al diablo y declaren que van a honrar a su marido.

¿De qué manera crees que le afectará a tu marido si lo tratas con reverencia? ¿Le hará un hombre mejor o un hombre peor? ¿Lo alentará o lo desanimará? ¿Se sentirá bien consigo mismo o pensará que no sirve? ¿Crees que será más duro contigo o más amable?

Muchas veces cuando se ha predicado este mensaje a un grupo mixto, son los hombres los que responden más. Si predico este mensaje a las mujeres y luego doy invitación a que pasen a orar, los hombres son los que responden. Llorando ante el altar, son los que dicen: "No merezco una esposa así".

Bendice a tu marido, querida hermana. Bendícelo.

Proverbios 31:12 Le da ella bien y no mal Todos los días de su vida.

Algunas mujeres podrían decir: "Yo no tengo un marido piadoso, ¿por qué debería tratarlo como si fuera piadoso? ¿No es eso fingir nada más, lo cual es una forma de mentir?" Esta es una pregunta legítima. Algunas mujeres están casadas con hombres que no conocen a Dios de la manera más elemental. Sin embargo, la Escritura dice:

Efesios 5:22 Las casadas estén sujetas a sus propios maridos, como al Señor;

Dios sabe que tu marido no es perfecto. Sin embargo, si él está cumpliendo con los requisitos básicos del matrimonio y no está abusando de ti ni de los niños, entonces sométete a él como al Señor. <u>No cometas el error de exagerar lo malo que es tu marido</u>. Estarías cayendo en manos de Satanás. Seguramente temes el juicio de Dios. Deja que tu temor a Dios se traduzca en obediencia y reverencia hacia tu marido

Imagina que Dios es un puente de 30 metros de largo del que podrías caer y morir. Tu marido es la barandilla. Estrellarte contra la barandilla no te matará, pero caerte del puente sí. No necesitas fingir que tu esposo es el puente (el Dios santo, todopoderoso y perfecto); sabes que no lo es. Pero también sabes que si te mantienes al pendiente de él, respetas su posición y no lo haces enojar, Dios te bendecirá con un camino más seguro— una senda que puede salvar a tus hijos y con el tiempo, a tu marido.

Si tu marido se la pasa sentado en el sofá viendo películas mientras que tú sales a trabajar, entonces elogiarlo por ser el gran proveedor del sustento del hogar sería ridículo. Pero si trae a casa el cheque y te lleva a comprar los víveres y no le agradeces y lo elogias por su cuidado, aquí es cuando podrías caer en picada por el lado del puente.

Dios sabe que tu marido no es perfecto.

El poder de un espíritu sumiso

Continuemos y veamos ahora el poder de un espíritu sumiso.

1 Pedro 3:1-2 Asimismo vosotras, mujeres, estad sujetas a vuestros maridos; para que también los que no creen a la palabra, sean ganados sin palabra por la conducta de sus esposas, considerando vuestra conducta casta y respetuosa.

En estos versículos hay un poderoso secreto que una mujer descontenta nunca conocerá. Vemos que Pedro dice "asimismo". Se está refiriendo al ejemplo de Cristo al sufrir y morir en la cruz. Pedro está diciendo "esposas, sean como Cristo..."

También está esa palabra *reverenciar* o *temer* otra vez. Probablemente no tengas temor a tu marido. Pero si conoces a Dios, le tendrás temor a Él. Si temes a Dios, guardarás sus mandamientos y Él dijo reverenciar a tu marido. Si temes a Dios, entonces vas a reverenciar a tu marido.

1 Pedro 3:3-6 Vuestro atavío no sea el externo de peinados ostentosos, de adornos de oro o de vestidos lujosos sino el interno, el del corazón, en el incorruptible ornato de un espíritu afable y apacible, que es de grande estima delante de Dios.

Porque así también se ataviaban en otro tiempo aquellas santas mujeres que esperaban en Dios, estando sujetas a sus maridos; como Sara obedecía a Abraham, llamándole señor; de la cual vosotras habéis venido a ser hijas, si hacéis el bien, sin temer ninguna amenaza.

En estos versículos vemos las instrucciones de Dios a una mujer que no está casada con un creyente, o que por lo menos no obedece la

Palabra de Dios. Hay muchas mujeres que entran en esta categoría. ¿Qué deben hacer?

Fijémonos que a la mujer de Proverbios 31 se le describe como siendo de gran precio. Es valiosa por sobre todas las cosas. Su valor no está en lo que lleva puesto ni qué tan elegantemente se arregla para lucir, sino en lo que hay en su mente y en su corazón. Dios lo llama un adorno. Un ornamento navideño es lo que se cuelga en el árbol para hacerlo bonito. Dios dice que un espíritu afable y apacible es un ornamento. Un espíritu apacible es lo que se encuentra en una mujer que no se siente agitada por la ira y la amargura. Un espíritu apacible es un espíritu satisfecho, agradecido, tranquilo, contento de corazón en lugar de estar listo a ofenderse o a poner al marido en su lugar. Muchos maridos caminan con pies de plomo temerosos de hacer algo que vaya a irritar a su esposa. Y algunas esposas se molestan si su marido llega tarde a la cena, si se queda platicando mucho tiempo después de la reunión de la iglesia, se olvida de limpiar sus zapatos antes de entrar en la casa, o cualquiera de una docena de ofensas que los hombres parecen cometer con frecuencia. Dios le llama ornamento a un espíritu apacible y todos los hombres están profundamente agradecidos cuando tienen una esposa que está contenta. Este ornamento motiva al hombre ya sea que esté perdido o que sea creyente, a querer complacer a su mujer. Este es un regalo para las mujeres que están casadas con hombres que no son salvos. Pueden mostrar un espíritu afable y apacible y así ganar a sus maridos. Dios dice, no te sorprendas cuando tu marido esté dispuesto a escuchar el evangelio; no temas ninguna amenaza. Como has ganado su corazón con tu espíritu dulce, Dios lo puede ganar para Él.

Dios le ha dado un poder significativo a la esposa cristiana del hombre que no obedece a Dios. Verdadero poder. Poder para ganarlo para Dios. Ahora considera: ¿Cuánta no será la influencia de una mujer casada con un hombre que tiene el Espíritu de Dios, de un hombre que cree?

Créelo, querida amiga. Eres una influencia poderosa en tu hogar cuando te colocas en el lugar que Dios ha diseñado para ti. Cuando muestras un espíritu afable y apacible, eres poderosa y de un valor incalculable.

Una mujer con un espíritu sumiso se adapta a los deseos y a la dirección de su marido. Al estudiar esta parte de las Escrituras, estoy absolutamente convencido de que Jesús es ese hombre interno del corazón que tu marido verá en ti. Él es el hombre interno del corazón.

Esto es asombroso. Jesús puede alcanzar a tu marido. ¿Quieres que tu marido sea salvo? Vístete de un espíritu afable y apacible y adórnate de Jesús.

Ejemplos piadosos de reverencia.

El Sr. y la Sra. Charles y Susannah Spurgeon

De entre los predicadores y escritores, Charles Spurgeon es conocido como uno de los más grandes. Su pluma ha enseñado a generaciones de hombres jóvenes a conocer y amar las palabras de Dios. Pero ¿qué decir de su esposa?

*Es de gran interés saber que cuando Charles estaba considerando a Susannah para esposa, le envió el libro **El progreso del peregrino** por John Bunyan. Recordarás que acabamos de aprender de cómo la buena mujer de John Bunyan permaneció fiel a él a pesar de que sufrió mucho debido a la firme posición de su marido respecto a asuntos de su época, por lo cual fue encarcelado durante varios largos años. Aun cuando tenía dificultad para alimentar a los niños, alentaba a su marido. Y ahora, todos estos años después, Dios estaba usando el libro que escribió Bunyan para enseñar y alentar a la futura esposa de un hombre que enseñaría la Palabra de Dios a millones. Gracias a Dios que la esposa de Bunyan fue muy valiente y se comportó como una mujer de gran precio.*

Susannah, la esposa de Charles Spurgeon, tenía muchos talentos y era muy inteligente. ¡Entre esos talentos estaba la habilidad de leer y escribir griego y hebreo! Esta era una dama que fácilmente podría opacar a su marido. Pero tenían una muy hermosa relación. Ella tenía un nombre especial por el cual le llamaba: Tirshatha. Es la palabra persa para "el reverenciado".

Encontramos esa palabra en Nehemías (8:9) donde se llama a Nehemías el "Gobernador".

¿Te puedes imaginar cada mañana cuando Susannah saludaba al Sr. Spurgeon con estas palabras?: "Buenos días, mi Reverenciado. ¿Cómo dormiste anoche?"

La actitud de Susannah alimentó el fuego para ministrar de Charles Spurgeon. La mayoría de la gente no tiene idea de las batallas que enfrentó en su ministerio. Lidió con desaliento y crítica. Sufrió mucho de gota desde que tenía 30 años. Le oprimieron muchas cosas, pero la relación poderosa que tenía con su esposa le alentaba continuamente a seguir adelante. Susannah misma estuvo muy enferma por más de 15 años, pero se mantuvo firme en su servicio a y para él. Fue el trabajo de ella en la traducción y preparación para imprimir lo que llevó los libros de Spurgeon a las manos de jóvenes predicadores para que aprendieran de él. En la actualidad, la mayoría de los predicadores todavía estudian esos libros.

En gran parte de su vida matrimonial Charles Spurgeon estuvo ausente del hogar debido a sus viajes para predicar. Sus cartas privadas muestran cómo se amaban. En una de esas cartas, Charles le escribió a su amada diciendo: "Amada mía, nadie sabe cuán agradecido estoy con Dios por ti. En todo lo que he hecho por Él, tú tienes una gran parte. Porque al hacerme tan feliz, me has equipado para Su servicio. Ni una pizca de poder se ha perdido de la buena causa gracias a ti. He podido servir al Señor mucho más y nunca menos, por tu dulce compañía. ¡Que el Señor Dios Todopoderoso te bendiga ahora y para siempre!" Charles Spurgeon se convirtió en el predicador más famoso de la Inglaterra victoriana. Fundó una universidad de pastores y un orfanato que aún existen en la actualidad. Muchos de sus libros aún se publican. Qué gran pérdida hubiera sido para el cielo y para la tierra si la esposa de Spurgeon no hubiera reverenciado a su marido.

Abraham y Sara

Sara se dirigía a Abraham llamándolo señor o maestro. Para ser su esposa, tuvo que dejar a sus amigos y familiares y vagar sin hogar toda su vida. Abraham estaba buscando una ciudad que aún no existía, una ciudad cuyo arquitecto y constructor es Dios. Pero Sara no se sentía abrumada, ni tenía miedo a ese tipo de vida. Llamaba señor a Abraham, y lo seguía por el desierto.

Me pregunto cómo se sentirían la mayoría de las esposas si su marido dijera: "Creo que deberíamos conseguir una casa de campaña y comenzar a viajar porque siento que hay una ciudad que deberíamos estar buscando y que Dios quiere que encontremos". Y viajan días, semanas, meses y años, sin embargo, el marido parece no poder encontrar lo que está buscando. La esposa duerme, cocina y vive en una tienda de campaña toda su vida y está contenta porque confía en que su marido está haciendo lo correcto por ella. Claramente Dios escogió a una mujer maravillosa para desempeñar este rol de esposa de Abraham. Ella figura en el libro de Hebreos como uno de los grandes hombres y mujeres que vivieron por fe.

1 Pedro 3:6 como Sara obedecía a Abraham, llamándole señor; de la cual vosotras habéis venido a ser hijas, si hacéis el bien, sin temer ninguna amenaza.

Hebreos 11:8-11 Por la fe Abraham, siendo llamado, obedeció para salir al lugar que había de recibir como herencia; y salió sin saber a dónde iba.

Por la fe habitó como extranjero en la tierra prometida como en tierra ajena, morando en tiendas con Isaac y Jacob, coherederos de la misma promesa; porque esperaba la ciudad que tiene fundamentos, cuyo arquitecto y constructor es Dios.

Por la fe también la misma Sara, siendo estéril, recibió fuerza para concebir; y dio a luz aun fuera del tiempo de la edad, porque creyó que era fiel quien lo había prometido.

El espíritu detrás de estas mujeres es lo que estoy buscando aquí. No es que un nombre sea más santo que el otro, es que estas mujeres reverenciaron a sus esposos hasta en sus expresiones de cariño.

Cuando Sara llamaba señor a Abraham, tenía todo el poder de todas esas actitudes de reverencia de las que les hablé antes. Le estaba diciendo a su marido: "Te amo. Te tengo en alta estima. Me importa lo que dices. Me alegra estar bajo tu autoridad. Te pertenezco. Estoy aquí para ti, y tú eres todo lo que deseo".

Si eres una mejor cristiana
que tu marido, entonces
la mejor manera de dem-
ostrarlo es obedeciendo las
órdenes sencillas de Dios
concernientes a tu marido
y al hogar.
— John R. Rice,
Esposas rebeldes y
maridos complacientes

Capítulo siete

Como pez fuera
del agua

**Las mujeres no fueron creadas para estar en el lugar
del hombre, no pueden llegar hasta allí y aún ser unas damas.**

Si sacas un pez fuera del agua, fuera de su elemento natural, verás enseguida que algo anda mal. Es un predicamento triste para el pez. Ya no puede respirar porque tiene que obtener aire del agua que normalmente pasa por sus branquias. Esta es la manera en que Dios lo diseñó.

En tierra firme, el pez comenzarán a dar volteretas y sus agallas se abrirán y cerrarán, tratando de tomar aire. Pero no puede extraer aire del aire. Tiene que estar en el agua para poder respirar.

*M*uchas mujeres son como el pez fuera del agua. Se proponen en su corazón estar en otro lugar que no es el que Dios diseñó para ellas cuando creó a la primera mujer. Las mujeres no fueron creadas para estar en el lugar del hombre; no pueden llegar hasta allí y aún ser unas damas. Es un hábitat diferente, un elemento para el cual no fueron diseñadas.

Algunas mujeres dicen: "No voy a estar en el lugar que Dios hizo para las mujeres. Voy a hacer lo mío en otro lado. Lo voy a hacer por mi cuenta. No me voy a quedar en casa y cuidar bebés y servir a mi marido. Que sea él, el que se quede en casa y lave los platos".

Cuando las mujeres asumen una posición como esta, son como peces fuera del agua, intentan respirar pero no reciben oxígeno.

Tan pronto como regresas el pez al agua, todo vuelve a estar bien. El oxígeno viene con el agua a través de las agallas y entra a los pulmones y el pez está bien otra vez. Se aleja nadando con un gran alivio.

¿Eres un pez fuera del agua? ¿Estás esforzándote para poder respirar por cada porción de vida que puedas obtener? ¿Te preguntas por qué todo está tan al revés? ¿Por qué estás tan frustrada, tienes problemas hormonales, te sientes deprimida o con exceso de trabajo? Tal vez necesitas volver al agua del plan de Dios para ti. Su propósito para ti como mujer es el elemento más natural que jamás conocerás.

Cuando las mujeres toman una posición como esta, son como peces fuera del agua.

La historia de Jane

Hace muchos años cuando estaba en la escuela bíblica, conocí a una amada hermana llamada Jane. Era soltera y había muchas chicas solteras en la escuela. Estaban estudiando para ser maestras en una escuela cristiana.

Al recordar esos días, puedo ver que esta joven estaba desarrollando la práctica de honrar a quienes estaban en una posición de autoridad. Estaba practicando cómo honraría y alentaría a su marido cuando Dios le diera uno.

Mi trabajo era el ministerio de los autobuses. En ese tiempo era un empleo, pero ahora me alegro porque cambió mi vida. Mientras yo trabajaba en el ministerio de los autobuses, esta joven realmente se destacaba cabeza y hombros por encima del resto.

Jane sabía muy bien cómo honrar. Escribía notas y me decía que estaba orando por mí. Yo no era alguien especial para ella, solamente era un líder. Hacía lo mismo por el pastor de la iglesia y por algunos otros. Ella era esa increíble "unidad de apoyo" de la que hablé antes.

El pastor recibía una nota de Jane que decía: "Hoy estoy orando por usted. Lo apoyo. Dios le bendiga hoy. Pensé en usted esta mañana, así que estoy orando por usted".

Empecé a recibir notas como esta todo el tiempo y pensé: "Hombre, más vale que alguien abra los ojos y eche el lazo a esa chica. Un día será una bella esposa para algún hombre."

Muchos muchachos la pasaron por alto. Ella no era la chica más bonita de la escuela. No se destacaba como algo especial. Yo quería decirles a los chicos solteros: "Oigan, no se puede estar más ciego. ¡El precio de esta chica está muy por encima de los rubíes!"

Sé exactamente lo que le sucedió a ese joven.

Los chicos la pasaron por alto y prefirieron a las chicas inconstantes y obtuvieron justo lo que estaban buscando, inconstancia.

Un día, Jane vino a pedirme consejo y dijo: "Hermano, necesito su ayuda. Hay un joven que me dice que desea cortejarme".

En nuestra escuela bíblica, si alguien quería cortejar, significaba que estaba considerando seriamente el matrimonio. Así que supe que esto era serio. Me dio el nombre del joven y dijo: "Quiero saber su opinión".

Investigué y me informé bien acerca de ese joven. Era un buen chico y de eso no tuve dudas. Pero pensé para mí mismo que era un joven mediocre pues no era un líder dinámico ni un predicador poderoso. Era de arranque lento y pensé que nunca llegaría a ser alguien en el ministerio o incluso como miembro de la iglesia. Era solo un buen tipo y pensé: "Pobre Jane. Qué lástima que el ministerio de una chica tan emprendedora se vaya a perder con este muchacho. Seguramente podría conseguir algo mucho mejor que este joven".

Pero no le dije eso. Como descubrí que era un buen tipo, ¿qué más le podía decir? Entonces le dije: "Parece ser un joven muy agradable. Si sientes que Dios te está guiando, adelante y sigue por ese camino".

¿Cortejaron, se casaron y adivina lo que ella hizo? Todas esas notas y oraciones, todas esas palabras alentadoras y de buen ánimo, las desató en ese joven al que yo había considerado como simplemente "mediocre".

En dos años, era uno de los mejores líderes en la universidad bíblica. Simplemente sacudí mi cabeza en asombro y sonreí. El poder de una mujer reverente es más de lo que alguien puede pensar. Debes verlo para creerlo.

Escuché decir a la gente: "¿Quién es ese nuevo predicador? ¡Es realmente dramático!" Y les dije: "Oh, no es nuevo. Ha estado aquí por tres años. Su nombre es tal y tal. ¿Se acuerdan de él?" Y la respuesta fue siempre la misma: "¿De verdad? Me acuerdo de él, pero caramba, ¡qué cambio!" Estaba claro que la gente pensaba: "¿Qué pasó con él? Debe haber sido una flor tardía". Yo sabía lo que le había pasado. Sabía exactamente lo que le había pasado a ese joven. Se consiguió a esa gran dama que creyó en él, oró por él, vio en él lo que aún no estaba allí, pero que podía ser, lo alentó y lo bendijo, lo amó y lo admiró. Entonces, de repente algo comenzó a arder en el interior de ese joven "mediocre" y se convirtió en un poderoso hombre de Dios.

¡Alabemos a Dios por su sabiduría y bendigamos Su nombre!

Ustedes damas tienen a su disposición el mismo poder que tuvo Jane. Pueden bendecir e influenciar a sus maridos tal como ella bendijo e influenció al suyo.

Algo comenzó a arder dentro de ese joven "mediocre" y se convirtió en un poderoso hombre de Dios.

Más acerca de Jane

Yo (Debi Pearl) leí esta historia y me encantó. Pero personalmente, como mujer, si una chica joven y atractiva hubiera estado enviando notas de aliento a mi esposo, me habría alarmado. Si una mujer casada hubiera estado enviando notas de aliento a mi esposo, me habría alarmado mucho más. Estoy segura de que la mayoría de las mujeres compartirían este sentimiento. El matrimonio es sagrado. Permítanme decirlo nuevamente. El matrimonio es sagrado. Todo lo que pudiera causar inseguridad en el matrimonio de alguien, ya sea bueno o malo, debe evitarse siempre. Siendo un hombre, Denny no habría entendido el aspecto psíquico de la mayoría de las esposas con respecto a estas notas. Denny consideró estas notas alentadoras. Pero no sabemos cómo estas notas podrían haber afectado a algunas de las esposas de los pastores. Al fin de cuentas, una nota de "aliento" podría haber sido un instrumento para provocar la discordia en el matrimonio. Ahora, me gustaría aclararte esta cuestión: si eres soltera, tu padre y tus hermanos son los hombres en tu vida que necesitan tu aliento y honra. Entrené a mis hijas a mostrar respeto y aliento a sus hermanos, quienes a su vez las entrenaron cómo tratar a sus maridos. Hizo que sus hermanos protegieran a sus hermanas y les hizo ser mejores hombres. Ciertamente necesitas orar por tus pastores y líderes, pero cualquier nota debe dirigirse a "El Sr. y la Sra." Como esposa de un predicador por más de 50 años, agradezco mucho cuando recibo una nota de aliento y respeto de parte de una

*mujer más joven. Jane debería haber enviado sus notas
de aliento a la esposa en lugar de al marido.*

*En este libro hemos leído historias increíbles de
predicadores y misioneros que Dios usó grandemente.
Lo que todos estos poderosos hombres de Dios tenían
en común era una esposa fuerte, virtuosa y reverente
que no solo estaba dispuesta, sino que lo apoyaba con
gusto en cualquier llamado que Dios le diera.*

La silla de papá

**Efesios 5:22 Las casadas estén sujetas a sus propios maridos,
como al Señor;**

Esta es una declaración poderosa. Pues no solo le dice a la mujer
que se someta a su marido, sino dice "como al Señor".

Casi todos los hogares tienen una o dos sillas en las que se
sienta el papá. Es su silla. Tengo una en la que me siento en mi casa.
De hecho, creo que tengo dos de ellas. Se llama "la silla de Papá".
Si papá anda por ahí o si entra en la habitación, los niños inmedia-
tamente se levantan de su silla. Es la silla de papá y ellos lo saben.

Quiero que te imagines una situación para poder ilustrarte
Efesios 5:22:

Imagínate la silla en la que se sienta
tu marido cuando llega a casa por la tarde. Tú conoces la escena; sucede todo el
tiempo. Entra a casa, tal vez del trabajo,
y va y se sienta en esa silla.

Ahora, en lugar de que sea tu esposo
quien entre por la puerta, salude a todos

y luego se siente en su silla para charlar contigo, quiero que te imagines que en lugar de tu marido, entra el Señor Jesucristo. Acaba de pasar por la puerta de tu casa, saluda a todos calurosamente, cruza la habitación y se sienta en la silla.

Jesús se siente como en casa y como si se hubiera sentado allí muchas veces. ¡Caray! ¡Qué experiencia tan emocionante! El Señor Jesucristo está sentado en tu casa. ¿Qué vas a hacer ahora? ¿Cuál será tu reacción?

Nos podemos imaginar fácilmente lo que está pasando en tu corazón y en tu mente en este momento; pensamientos de reverencia y deleite. Piensas: "¿Qué debo hacer para servir a mi Señor? Está sentado en mi casa, donde generalmente se sienta mi esposo. ¿Qué debo hacer para complacerlo?"

Imagina, dices: "Señor, ¿hay algo que te pueda ofrecer? ¿Hay algo que te gustaría ahora mismo?"

Jesús dice: "Sí, me gustaría una taza de té".

Dices: "Sí, mi Señor. ¿Qué tipo de té te gustaría?"

"Creo que un poco de té de menta", dice.

"Sí, Señor, de inmediato. Lo prepararé enseguida. ¿Te gustaría miel en el té? ¿Cuánta miel?"

Vuelves a la cocina pensando: "¡Oh, gloria! ¡Jesús está en mi casa y yo le estoy preparando té! ¡Aleluya, ay, ay, ay! ¡Voy a preparar té para Jesucristo! ¡Qué privilegio!"

Estarías tan emocionada al preparar esa taza de té. Será la mejor taza de té que jamás hayas preparado. ¿Por qué? ¡Porque es para el Señor!

Cuando el té está listo, se lo sirves alegremente. Dudo que te alejaras rápidamente como muchas otras veces antes. No, el Señor está sentado en esa silla. Colocarás el té en Su mano y te sentarás a mirarlo. ¿Recuerdas esas definiciones de reverencia? ¿Recuerdas la expresión "prestar atención"?

Estarás mirando atentamente para ver cómo está el té. Lo verás tomar el primer trago.

"¿Está muy caliente? Le podría traer un cubo de hielo para enfriarlo. ¿Sabe bien? ¿Tiene suficiente miel?"

"Oh sí, está bien".

¿Te marcharías? No. El Señor Jesús está sentado en la silla. Quieres saber qué podría decir a continuación. Estás sentada en el borde de tu asiento para escuchar lo que va a decir.

Lo escuchas por un momento y luego, durante una pausa, dices: "Señor, tengo la cena en la mesa. ¿Quisieras comer algo?".

Pero luego dice: "Sí, tengo mucha hambre, pero desafortunadamente necesito hacer una llamada telefónica primero. ¿Podrías demorar la cena un momento hasta que termine con mi llamada telefónica?"

¿Cuál será tu respuesta? ¿Le dirías al Señor?: "Un momento. La cena ya está en la mesa. Comamos primero y luego haces tu llamada telefónica". No. Ninguna de ustedes le diría eso a Jesús.

Dirías: "Está bien, Señor. Volveré a ponerla en el horno para que no se enfríe. Haz tu llamada telefónica y la serviré cuando estés listo. Todo lo que quieras, Señor".

Amadas hermanas, esta es la imagen de lo que Dios está diciendo en Efesios 5:22. Cuando tomas ese versículo y lo miras a la luz de esas definiciones de reverencia, puedes ver que así es como Dios te dice que te relaciones con tu marido.

¿Es digno de ese tipo de tratamiento? No. Pero Jesús sí lo es y estás reverenciando a tu esposo "como al Señor". Jesús es digno, bendice Su nombre.

El Sr. y la Sra. John y Lloys Rice

Conocí a John Rice cuando era un hombre muy viejo. Era un evangelista, autor, editor, predicador y pastor. También era bien conocido como un hombre de familia. Él y su esposa criaron a seis hijas.

Al evaluar recientemente la vida de John Rice a la luz de los principios que he estado enseñando, llegué a la conclusión de que tal vez debería haberse centrado más en su familia. Se ausentaba mucho del hogar en giras de predicación. Pero también veo el amplio ministerio que realizó, muchos se salvaron e hizo mucho trabajo para Dios. Al leer acerca de la vida de los misioneros que han logrado grandes avances en el trabajo de evangelismo, está claro que muchos de estos hombres eran guerreros en las líneas de combate de una batalla espiritual. Por regla general, la guerra, ya sea espiritual o física, no es lugar para las esposas y los hijos. John Rice y su esposa parecen ser una familia llamada a hacer este sacrificio.

A veces se ausentaba por un mes antes de volver a su esposa y sus seis adorables hijas. La gran maravilla es el hecho de que sus hijas crecieron sin sentirse rechazadas o descuidadas por su padre.

Se convirtieron en mujeres finas, hermosas y piadosas que se casaron con hombres piadosos que ministraron también. ¿Sabes por qué?

La señora Rice no pasaba los días quejándose por tener que quedarse en casa y tener que cuidar a la familia. Más bien, reverenció a su esposo. Se ponía de rodillas todos los días mientras papá estaba fuera y oraba con esas seis niñas.

Oraba con fervor y sinceridad: "Le
agradecemos, oh Dios por nuestro papi
quien está ganando almas para Cristo.
Le damos gracias que esté en la primera línea de la batalla por usted. Oramos
que bendiga a nuestro papá y lo use
esta noche mientras predica. Oramos
que nos lo traiga a salvo a casa, Señor.
Anhelamos el día en que volverá a casa
otra vez".

Cuando John Rice entraba por la puerta, su esposa había sido
tan buena madre para esas seis pequeñas niñas que lo asaltaban con
toda la alegría y el entusiasmo que podían. Escribió muchos libros
y folletos sobre el matrimonio y sospecho que su esposa lo ayudó
a hacerlo. Hablaba de ella como su faro, su mano derecha y una
madre maravillosa.

Algunos podrían pensar que debería haber estado en casa más a menudo, pero nunca lo sabrías
por la forma en que resultaron esas seis chicas.
Mamá reverenció a su esposo.

Me encantan historias como esta, especialmente cuando he conocido a la persona y he
visto a la familia de primera mano.

Capítulo ocho

¿Cuál es la base del honor?

Si el honor estuviera basado en el desempeño, ninguno de nosotros recibiría ningún honor.

Hagamos una pregunta: ¿el honor se basa en el valor? ¿Honramos a alguien que es digno de honor?

> **1 Pedro 2:17** Honrad a todos. Amad a los hermanos. Temed a Dios. Honrad al rey.

*D*igamos que estás conduciendo a algún lugar, yendo a una reunión y de repente, ves esas luces azules intermitentes en el espejo retrovisor. Te das cuenta de que un policía te está deteniendo. No importa si ese policía estaba ebrio y golpeó a su esposa la noche anterior. Lo honras por su posición. Le temes por su poder para meterte en la cárcel.

Cuando sale de su auto con ese uniforme puesto, vas a bajar la ventanilla y decir: "¿Si, Oficial?

Algunas de ustedes van a necesitar adoptar este tipo de perspectiva en su hogar. Le has estado dando vueltas y vueltas a esta idea de reverenciar y honrar a tu marido. Tu mente está rechazando la idea de que tu marido sea honorable. Probablemente puedas decirnos lo terrible que realmente es.

Si el honor estuviera basado en el desempeño, ninguno de nosotros recibiría ningún honor. Pero Dios ha diseñado a la unidad familiar para que funcione con la esposa dando honor a la cabeza de la familia. A los niños se les dice que honren a su padre y a su madre. Debemos aprender a dar honra donde el cargo o la posición lo requieren, no necesariamente donde se merece.

Es este sistema de honor el que le permite que un tipo regular sea un policía y mantenga la ley y el orden en la región. Si todos conocieran al policía tan bien como lo conoce su esposa, es posible que todos subirían las ventanillas de sus autos y dirían: "No voy a hacer lo que dice este tipo. Es un borracho". Y si todos asumieran la perspectiva de que el honor solo debería otorgarse a los merecedores, en cuestión de horas tendríamos caos y anarquía. Suplicaríamos que se restableciera el principio de honor por cargo para poder tener paz nuevamente.

¿Cómo está afectando la falta de honor a los preciosos pequeñitos en tu hogar? El hogar es la primera línea de defensa contra el VERDADERO enemigo del alma. Es, por tanto, más importante que el honor sea restablecido primeramente en el hogar. Que Dios nos ayude y nos guíe para que podamos ver Su voluntad claramente.

El pecado es contagioso

Vivo en el condado de Lancaster y por aquí la gente sabe las genealogías muy bien. Es territorio Amish, por lo que hay una larga línea de historia en cada familia. Muchas personas pueden decirte: "Recuerdo a Bob y a su mamá y a su papá. Recuerdo a su abuelo y a su bisabuelo. He oído historias sobre su tatarabuelo". La gente de Lancaster sabe las historias de los demás, tanto las buenas como las malas.

Una historia que la gente conoce es la de una mujer fastidiosa que continuamente deshonraba a su marido. Continuamente le decía lo tonto que era y que no podía hacer nada bien. Le decía que era un vago y lo regañaba porque no asumía las responsabilidades que ella pensaba que debería asumir.

La mujer contenciosa tenía niñas pequeñas. Las niñas tenían corazones y mentes abiertas como todos los niños. Vivían en esa casa donde la mujer fastidiosa denigraba a su marido día tras día.

Con el tiempo, las niñas crecieron y se hicieron adolescentes. De repente, su dulce papá a quien habían amado cuando eran niñas, estaba mal. Era tonto y perezoso. Comenzaron a quejarse de su papá y a estar de acuerdo con su mamá. Cuando la mujer rencillosa criticaba al papá, las chicas se unían para abatirlo y recordarle el mal trabajo que estaba haciendo y lo despreciable que era.

La hija mayor creció y quería casarse. Llegó un joven. Era tonto y carecía de discernimiento, pero no era malo. Todo lo que podía ver era que la jovencita era realmente bonita y que el vestido que llevaba le favorecía mucho. La cortejó y se casaron.

Después de que se casaron, puedes adivinar lo que sucedió. La chica linda con la que se casó comenzó a decirle lo tonto que era. Le recordaba todos los días que todo lo que él trataba de hacer estaba mal y no servía para nada. Le decía todo el tiempo que él nunca asumía sus responsabilidades. Toda la comunidad escuchaba sus quejas.

El joven poco a poco fue abatido y hecho en la misma imagen que el padre de su esposa. A nadie le sorprendió que en el transcurso de un año se encontrara casada con el mismo tipo de hombre que era su papá. Ella le reprochaba: "Eres igualito a mi papá". Y sí lo era.

Esa historia ha continuado por generaciones... ¿Puede alguien detenerla, por favor?

Pronto llegaron los bebés. Había niñas pequeñas en la casa escuchando a su madre diciéndole a su papá lo inútil que era. Guardaron esas palabras crueles en su corazón y veían a su padre alejarse de su madre. En unos cuantos años crecieron y se unieron a la despiadada calumnia en contra de su padre. Papá era tonto y despreciable. Nunca podía pagar las cuentas a tiempo. Nunca podía hacer nada bien.

La historia se repite una y otra vez; y así sigue esa familia...

La historia se repite una y otra vez; y así sigue esa familia... pisoteada y sin esperanza. Es una historia triste y todos la saben y piensan que es triste pero divertida. Esa historia ha continuado por generaciones en más de una familia. ¿Puede alguien detenerla, por favor?

¿Querida hermana, detendrías tú esa historia en tu vida? Tu bisabuela, tu abuela, tu madre y ahora tú estás causando destrucción en el hogar. Pero tú puedes detenerla. El poder está en tus manos para construir tu casa en lugar de derribarla.

Si eres una jovencita y este veneno está en ti, no te cases. Por amor a esos niños y a los hijos de los niños, simplemente no te cases. La única otra opción no destructiva es que te arrepientas delante de Dios y cambies tan completamente que puedas romper el ciclo para siempre.

Si tienes una hija como esta, por favor, ten compasión e informa al joven cuando venga a cortejarla. No sería correcto no advertirle de la miseria que está a punto de experimentar y perpetuar.

Ten misericordia y dile: "Puede que sea bonita, pero espera a que la hagas enojar. Tiene una manera de criticar un poquito aquí y otro poquito allá. Te hará desear poder escaparte a rastras y esconderte. Ella destruirá tu familia".

Proverbios 14:1 La mujer sabia edifica su casa; Mas la necia con sus manos la derriba.

Proverbios 31:26 Abre su boca con sabiduría, Y la ley de clemencia está en su lengua

Proverbios 21:9 Mejor es vivir en un rincón del terrado Que con mujer rencillosa en casa espaciosa.

Proverbios 27:15 Gotera continua en tiempo de lluvia Y la mujer rencillosa, son semejantes.

Capítulo nueve

Una pregunta
desafiante

**Dios está buscando ayudas idóneas, damas que
honren lo que dijo en Su "carta de instrucciones".**

Si tu marido estuviera perdido sin Dios,
¿tu vida lo convencería para acercarse o
lo alejaría de Jesús? Pregúntate eso. ¿Qué
pasaría si él estuviera perdido y fuera a
morir y presentarse ante Dios? ¿Serían
tu vida y tu ejemplo factores para que él
se fuera al infierno? ¿Habrás sido una
influencia que lo condenó? ¿O eres una
influencia que lo puede llevar a Cristo?

Para concluir

¿Tiene problemas tu marido? Sí, como hijo de Adán, estoy seguro de que los tiene. ¿Hay necesidades en su vida? Sin duda. ¿Qué puedes hacer al respecto?

Dios habló a través del profeta Jeremías quien vivía en una época en la que había problemas extremos por todas partes. Los hombres de Israel eran peor que cualquier cosa que pudieras imaginar. Realmente se habían apartado de sus responsabilidades y se habían alejado del Dios de sus padres y de su ley. Se habían apartado de todo lo que Dios les había ordenado que hicieran. Dios los describe como una nación de mentirosos y engañadores. Se avecinaba un gran juicio, entonces Dios hizo un llamado a las mujeres.

Dios habló a las mujeres de la tierra por medio del profeta Jeremías diciendo:

> **Jeremías 9:17-18 Así dice Jehová de los ejércitos: Considerad, y llamad plañideras que vengan; buscad a las hábiles en su oficio;**

> **y dense prisa, y levanten llanto por nosotros, y desháganse nuestros ojos en lágrimas, y nuestros párpados se destilen en aguas.**

¿Por qué están orando? ¿Acerca de qué lloran y se lamentan? "Dios, ¿romperías el corazón de nuestros maridos hasta que sus ojos se llenen de lágrimas?" Esa es la oración que el profeta pedía que hicieran las mujeres.

> **Jeremías 9:19-20 Porque de Sion fue oída voz de endecha: ¡Cómo hemos sido destruidos! En gran manera hemos sido avergonzados, porque abandonamos la tierra, porque han destruido nuestras moradas.**

Oíd, pues, oh mujeres, palabra de Jehová, y vuestro oído reciba la palabra de su boca: Enseñad endechas a vuestras hijas, y lamentación cada una a su amiga.

Dios nos dice a través del profeta Jeremías lo que ustedes, damas, deben hacer cuando todo se derrumba. Dios dice: "Oren".

Dios no dice: "Levántate, toma la iniciativa y dile a tu marido lo que debería estar haciendo".

Dios no dice: "Levántate y toma control del hogar y haz que los problemas desaparezcan".

Dios les dijo a través de Jeremías que se levantaran y clamaran en la noche y lloraran delante de Dios. Levanten llanto. En lugar de criticar a tu marido, pon a tus hijas a tu lado y de rodillas levanten llanto por tu marido y por los hombres que han caído y que no saben lo que están haciendo. Llora y ora por los hombres que han perdido el rumbo debido al mundo confuso y desorientado en el que crecieron.

Les animo mis hermanas a andar por esta senda. Mientras lloran y oran por sus maridos, recuerden reverenciarlo, honrarlo, creer en él, alentarlo y amarlo. Puede que él no sea perfecto después de que ustedes hayan hecho todo esto. Puede que no sea perfecto dentro de diez años. Puede que nunca sea lo que sueñan y desearían

Mientras lloras y oras por tu marido, recuerda reverenciarlo, honrarlo, creer en él, alentarlo y amarlo.

que fuera. Pero les garantizo que estará mucho más avanzado en el camino de hacer lo correcto de lo que está ahora.

Creo que estás escuchando al Espíritu de Dios y recibiendo de él. Clama a Dios y deja que te limpie de lo que ha sido tu pasado. Te irá mucho mejor en el futuro si lo haces. Purga tu conciencia y deja que Dios te libere de la culpa. Deja que Él purifique tu corazón y te fortalezca para seguir adelante y enfrentar estos problemas. Su fuerza es suficiente para ti. Su fuerza se perfecciona en la debilidad. Bendice el nombre de Jesús. Amén.

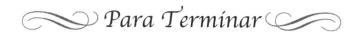

Dios es maravilloso y terrible en sus juicios. También está lleno de misericordia y de gracia.

Su fuerte deseo es bendecir a su pueblo, pero con demasiada frecuencia lo obligamos a juzgar por nuestra "negligencia." Yo pienso que Él se cansa de juzgar.

Él está buscando, observando, llamando a quienes estén dispuestos a oírle. Él te llama por tu nombre, así como llamó en las horas de la noche al muchacho Samuel hace tanto tiempo. Así como vino a su sierva, María, Él pronuncia dulcemente tu nombre. ¿Le escucharás?

Dios está buscando *ayudas idóneas*, damas que honren lo que Él dijo en su "carta instructiva", para que Él las pueda usar como vasos de bendición. ¡Bendiciones! Él tiene tantas bendiciones y tan pocos vasos dispuestos.

Casi puedo verlo allí parado, inclinado sobre los portales del cielo, observando, esperando y escuchando en espera de ese hermoso sonido musical de risa gozosa que se eleva por los cielos. "Sí, oigo a una que responde al llamado. Tráiganme la copa." Un ángel le pasa la copa de castigo y juicio, y Dios contesta, "No, ésa no; la copa grande, llena de bendiciones es la que necesita esta chica." Y el ángel sonríe al colocar la gran Copa de Bendiciones en las manos ansiosas de Dios. Dios, sonriente, empieza a derramar las bendiciones, desbordando bendiciones más rápidamente de lo que se pueden recibir. El ángel se inclina para ver, y entonces él también, escucha el sonido hermoso de gratitud que se eleva continuamente como grato aroma para Dios. Él es un asombroso Dios de bendiciones y deleites. Él está siempre dispuesto y preparado para bendecir a los que le honran a Él.

¿Lo oyes? Él te llama suave y tiernamente por tu nombre, "Sé la *ayuda idónea* que yo quise que fueras al crearte. Créeme, confía en mí, obedéceme y luego observa lo que yo haré."

¡Lluvias de bendiciones!

Oh, que empiecen a caer hoy.

Para tu placer en la lectura,
por favor disfruta los siguientes capítulos
del libro de mayor venta de Debi Pearl

CREADA
PARA SER SU
Ayuda Idónea

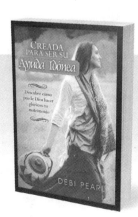

Capítulo 8

Sabiduría Para Entender a Tu Marido

Co-autora: Rebekah (Pearl) Anast

La mujer sabia aprende a adaptarse a su marido.

Tres Clases de Hombres

Los hombres no son todos iguales. Me he dado cuenta de que existen básicamente tres tipos de hombres. Los diferentes tipos son tan marcados en los niños de un año como en los hombres adultos. Pareciera que Dios hizo a cada varón para que exprese uno de los tres aspectos de la naturaleza divina. Ningún hombre por sí solo expresa por completo la imagen bien balanceada de Dios. Si un hombre manifestara los tres tipos al mismo tiempo, sería el hombre perfecto. Pero jamás he conocido, oído, ni leído en un libro de historia o de ficción acerca de un hombre que tenga el equilibrio perfecto de los tres. Seguramente Jesús era el equilibrio perfecto. La mayoría de los hombres tienen un poco de cada uno, pero tienden a predominar en uno de los tipos. Todo el entrenamiento y las experiencias de la vida jamás lograrán convertir un tipo de hombre en otro tipo de hombre. Nada hay más incongruente ni más lastimoso que el hombre que intenta conducirse de manera diferente a lo que es. Conforme expliquemos los diferentes tipos, probablemente podrás identificar fácilmente a tu marido y podrás ver en qué aspectos has sido una maldición o una bendición para él.

Para cuando una mujer joven se casa, ya ha desarrollado un perfil mental de lo que debe ser su marido. Los hombres que ella ha conocido y los personajes de libros y películas le proporcionan a cada mujer un concepto de lo que es el hombre perfecto. ¡Pobres hombres! Nuestras ideas preconcebidas hacen que las cosas sean muy difíciles para ellos. Ellos nunca son perfectos—¡ni se acercan! Dios dio a cada uno una naturaleza que en parte es como Él mismo, pero nunca completa. Cuando agregas el factor de que todo hombre es un ser caído, hace que una muchacha se pregunte por qué había de querer unir su vida a la de uno de estos hijos de Adán. Pero Dios hizo que las damas tuviéramos este deseo inexplicable de sentirse necesarias para un hombre, y nuestras hormonas actúan enérgicamente para unirnos.

> Si luchas contra los defectos de tu marido, o buscas ser dominante donde él no lo es, ambos fracasarán. Si lo amas y lo apoyas con sus defectos y sin tomar las riendas, ambos tendrán éxito y crecerán.

Cuando una muchacha de pronto se encuentra permanentemente ligada a un hombre que no es como ella considera que debe ser, en lugar de adaptarse a él, generalmente pasa el resto de su matrimonio—que quizá no sea muy largo—tratando de transformarlo en lo que ella considera que debe ser su marido. Al poco tiempo de casadas, la mayoría de las muchachas jóvenes hacen el trágico descubrimiento de que posiblemente les haya tocado un inútil. En lugar de lamentar tu "destino", pide a Dios sabiduría.

 Sabiduría es saber "lo que compraste" cuando te casaste con ese hombre, y aprender a adaptarte a él así como es, y no como tú quieres que sea.

Los hombres no son iguales. Lo más probable es que tu marido no sea como tu padre ni como tu hermano ni como el hombre en tu novela romántica favorita. Nuestros maridos han sido creados a la imagen de Dios, y se requiere de toda clase de hombres para acercarse siquiera a completar esa imagen. Ningún hombre es el equilibrio perfecto; si lo fuera sería demasiado divino como para necesitarte a ti. **Dios da mujeres imperfectas a hombres imperfectos para que puedan ser coherederos de la gracia de la vida** *y para que juntos lleguen a ser algo más de lo que cualquiera de los dos hubiera podido ser solo.*

Si luchas contra los defectos de tu marido, o buscas ser dominante donde él no lo es, ambos fracasarán. Si lo amas y lo apoyas <u>con</u> sus defectos y <u>sin</u> tomar las riendas, ambos tendrán éxito y crecerán.

Sr. Dominante

Dios es **dominante**—es un Dios todopoderoso y soberano. También es **visionario**—omnisciente y deseoso de realizar sus planes. Y Dios es **estable**—el mismo ayer, hoy y siempre, nuestro fiel Sumo Sacerdote. La mayoría de los hombres personifican uno de estos tres aspectos de Dios.

Algunos hombres nacen con una porción adicional de dominancia y, según las apariencias, un déficit de amabilidad. Suelen llegar a ocupar cargos en los que mandan a otros hombres. Les llamaremos *Señores Dominantes*. Son líderes natos. Suelen ser seleccionados por otros hombres para ser comandantes militares, políticos, predicadores y directores de empresas. Winston Churchill, George Patton y Ronald Reagan son ejemplos de hombres dominantes. Como nuestro mundo no necesita más que unos pocos líderes, Dios parece limitar el número de estos *Señores Dominantes*. A lo largo de la historia, hombres creados a la imagen de Dios Padre se han rodeado de hombres buenos para lograr la realización de grandes tareas. Los *Señores Dominantes* generalmente hacen más de lo que se les exige.

> Es muy importante que aprendas cómo presentar una apelación sin desafiar su autoridad.

Tienen fama de esperar que sus esposas los atiendan como reyes. *Sr. Dominante* no quiere que su esposa se involucre en ningún proyecto que le impida servirle a él. Si tienes la bendición de estar casada con un hombre fuerte, imponente, mandón, como mi marido, entonces es muy importante que aprendas a presentar una apelación sin desafiar su autoridad. Más adelante en este libro veremos cómo hacer una apelación.

Los *Señores Dominantes* son menos tolerantes, así que tienden a abandonar a una esposa vociferante antes de que ella siquiera empiece a sospechar que está a punto de perder su matrimonio. Para cuando ella se da cuenta de que tiene un problema serio, ya es madre divorciada buscando ayuda para la crianza de sus hijos sola. Una mujer puede discutir y pelear hasta el cansancio, pero *Sr. Dominante* no cede. No es tan abierto ni tan vulnerable como otros hombres para compartir sus sentimientos personales o su ocupación con su esposa. **Parece ser autosuficiente.** Es terrible sentirse excluida. La esposa del *Sr. Dominante* se tiene que **ganar su lugar en el corazón de él** demostrando que será fiel, leal y obediente a su marido. Cuando se haya ganado la confianza de él, entonces él la tendrá por un gran tesoro.

Ella tiene que estar disponible cada minuto del día. Su marido quiere saber dónde está, qué está haciendo y por qué lo está haciendo. Él la corrige sin pensarlo dos veces. Para bien o para mal, su naturaleza es controlar.

La mujer que está casada con *Sr. Dominante* lleva un yugo más pesado que el de la mayoría de las mujeres, pero puede ser un yugo muy gratificante. En cierto sentido, su vida como ayuda idónea de él resulta más fácil porque jamás existirá ninguna posibilidad de que ella tenga el mando. No existen áreas grises; ella siempre sabe exactamente lo que se requiere de ella, por tanto tiene una tranquila sensación de seguridad y reposo.

El *Sr. Dominante* siente que es su deber y responsabilidad dirigir a las personas, así que lo hace, sea que ellos deseen que lo haga o no. Por increíble que parezca, esto es lo que le gusta a la gente. Muy poca gente tiene suficiente seguridad para lanzarse por sí mismos; además, los detiene el temor de cargar con la culpa por cualquier error. *Sr. Dominante* está dispuesto a correr el riesgo, y con ese fin creó Dios a estos hombres que parecen reyes. Su camino no es fácil, pues Santiago dijo, "**Hermanos míos, no os hagáis maestros muchos de vosotros, sabiendo que recibiremos mayor condenación**" (Santiago 3:1).

> 💜 Un Rey desea una Reina y por eso el hombre dominante quiere una esposa fiel que comparta su fama y gloria. 💜

El 11 de septiembre, cuando fueron destruidas las Torres Gemelas en Nueva York, otro avión que volaba sobre Pennsylvania fue secuestrado por otros terroristas. El Sr. Todd Beamer viajaba en ese avión. Fue su voz la que todos escuchamos cuando dijo esas célebres palabras, "Rodemos." Ha de haber sido un fuerte *Sr. Dominante*. Él y otros como él tomaron el control de una situación grave y salvaron muchas vidas mediante el sacrificio de su propia vida. Pudo haber sido un trágico error, pero el Sr. Beamer evaluó la situación, tomó una decisión y luego hizo lo que tenía que hacer. Sabía que las vidas de todas esas personas estaban en sus manos. Era una gran responsabilidad, sin embargo estuvo dispuesto a "hacer lo que un hombre tiene que hacer." Recordarán cuan fuerte y regia se veía su joven viuda cuando la vimos en la televisión después de los ataques. **Un buen Sr. Dominante es capaz de ver el cuadro más amplio y se esfuerza por ayudar al mayor número posible**, aun cuando le cueste su vida y la vida de sus seres amados. Si es un hombre honesto, soportará pérdidas económicas con tal de guiar a quienes lo necesitan, pero al final suele salir ganando. Si no es hombre honesto, será egoísta y usará los recursos de otros para buscar sus propios intereses.

Un Rey desea una Reina y por eso el hombre dominante quiere una esposa fiel que comparta su fama y su gloria. Sin la admiración de una mujer, sus victorias enmudecen. **Si la esposa aprende desde temprano a disfrutar los beneficios de tomar el asiento trasero y si no se ofende ante la obstinada agresividad de él, será ella la que se encontrará sentada a su mano derecha siendo adorada, porque esta clase de hombre adorará por completo a su esposa y la exaltará.** Ella será su más íntima, y a veces única, confidente. Con los años el *Sr. Dominante* puede volverse más moldeable y amable. Su esposa descubrirá accesos secretos hacia su corazón.

> ♥ Su visión es como la del que mira desde la cima de la montaña; ve la meta distante. ♥

Si estás casada con un rey, la honra y reverencia es algo que debes rendirle diariamente si quieres que sea un hombre de Dios, benevolente, honesto, fuerte y realizado. Él tiene potencial para llegar a ser un líder asombroso. Nunca lo avergüences ni lo humilles ni ignores sus logros.

Si la esposa del *Sr. Dominante* se resiste a su control, él no dudará en avanzar sin ella. Si no es cristiano de principios, permitirá que el matrimonio termine en divorcio. Como el rey Asuero de Persia, si lo desafía, él la cambiará por otra y ni siquiera lo lamentará. Si sus convicciones cristianas evitan que se divorcie, permanecerá obstinadamente al mando, y ella se granjeará fama de miserable gruñona.

Si un *Sr. Dominante* no ha desarrollado destrezas laborales, y como consecuencia logra poco, tenderá a contar anécdotas acerca de sí mismo y presumir hasta hartar a sus oyentes. Si ha abandonado a su esposa y perdido a sus hijos, de modo que no cuenta con ningún legítimo "reino" propio, será odiosamente parlanchín.

Un *Sr. Dominante* que se ha echado a perder probablemente será violento. Es importante recordar que la manera de reaccionar del *Sr. Dominante* dependerá en gran parte de la reverencia que muestre su esposa por él. **Cuando un *Sr. Dominante*, (salvo o perdido) es tratado con honor y reverencia, una buena ayuda idónea descubrirá que su marido será maravillosamente protector y comprensivo.** En la mayoría de los matrimonios el conflicto no se debe a que el hombre sea cruel ni malvado; es porque espera obediencia, honra y reverencia y no las recibe. Así, reacciona incorrectamente. Cuando la esposa hace su papel de ayuda idónea, el *Sr. Dominante* reaccionará de manera diferente. Por supuesto, hay unos pocos hombres que son tan crueles y violentos que aun cuando la esposa sea una ayuda idónea, él la maltratará a ella o a los hijos. En tales casos, será deber de la mujer notificar a las autoridades para que puedan ser el brazo del Señor para hacer justicia.

- Como regla general, el *Sr. Dominante* se niega a sacar la basura o a limpiar el tiradero en el área del basurero. Pudiera organizar o mandar a otro que lo haga. Cualquier mujer que intente obligar al *Sr. Dominante* a convertirse en un amable recolector de basura probablemente termine sola, abandonada por su marido.

- El *Sr. Dominante* deseará hablar de sus planes, ideas y proyectos termi-nados. Será muy objetivo, poco emotivo y **no disfrutará la conversación trivial. Su visión es como la del que mira desde la cima de la montaña; ve la meta distante.** Esperará que su esposa le ayude a recordar las necesida-des de los individuos.

- El *Sr. Dominante* se sentirá sumamente incómodo y desconcertado al tratar con los enfermos, moribundos e indefensos. Donde no hay esperanza, no habrá necesidad de un *Sr. Dominante*.

- Un líder nato es aquel hombre que, cuando sea necesario, puede adaptar principios o reglas a la circunstancias para conseguir el máximo beneficio para el mayor número de personas.

Sr. Visionario

Dios es visionario, según se manifiesta en la persona del Espíritu San-to. Ha hecho a algunos hombres a la imagen de esa parte de su naturaleza. El profeta, sea verdadero o falso, suele ser de este tipo. Algunas de ustedes están casadas con hombres que son sacudidores, cambiadores y soñadores. Estos hombres alborotan a la familia entera por asuntos secundarios como: ¿creemos en la Navidad? ¿Debemos practicar el matrimonio civil? ¿Conviene al cristiano tener un negocio de cibercafé? Los problemas pudieran ser serios y dignos de consideración, pero en diversas medidas, estos hombres tienen un limitado campo de visión, enfocándose tenazmente en asuntos aislados. Con mucha facilidad toman la decisión de mudarse, sin tener idea a qué se van a dedicar en el nuevo domicilio. Suelen ser los que causan divisiones en la iglesia, exigien-do pureza doctrinal, vestimenta y conducta

> Aprende a ser flexible y aprende a ser siempre leal a tu marido.

apropiada. Como profetas, les reclaman a las personas las incongruencias en sus vidas. Si no son sabios, son capaces de cometer verdaderas necedades, imponiendo sus ideas y obligando a otros a hacer las cosas a su manera. El *Visionario* hará campaña para legalizar el uso de la mariguana, o será activista para impedir la legalización del aborto. La mayor parte de ellos simplemente permanecen sentados en sus casas quejándose, pero de corazón son *Visionarios*.

El *Visionario* suele ser muy hábil como inventor, y estoy segura de que fueron hombres de este tipo los que conquistaron territorios nuevos en el Oeste, pero no serían ellos quienes se establecieron allí para cultivar la tierra. Hoy día, el *Visionario* pudiera ser predicador al aire libre, activista político, organizador e instigador de cualquier controversia social. **Le encanta la controversia,** y aborrece la rutina establecida. "¿Por qué dejar las cosas como están si uno las puede cambiar?" Es el hombre que evita que el resto de las personas se estanquen o se aburran. **El *Visionario* está obsesionado con la necesidad de comunicar con sus palabras, su música, escritura, voz, arte o acciones.** Él es la **"voz que clama en el desierto"** buscando cambiar la manera de pensar o de actuar de la humanidad. Sus buenas intenciones no siempre evitan que el *Visionario* ocasione mucho daño. Si no son sabios, pueden batir un postre y terminar con residuos tóxicos. Una esposa que no es sabia puede agregarle al veneno con palabras negativas, o puede, con sencillas palabras de cautela, señalar las bondades del postre y la prudencia de dejarlo en paz. **Todo *Sr. Visionario* necesita una esposa buena, sabia, prudente y estable que tenga una perspectiva positiva de la vida.**

> Grandeza consiste en un estado del alma, no en ciertos logros.

Si estás casada con uno de estos tipos, debes contar con que serás rica o pobre, rara vez de clase media. Él pudiera arriesgar todo y perderlo o ganar una fortuna, pero no encontrará el éxito trabajando de 8 a 6 en el mismo lugar durante treinta años para luego jubilarse y disfrutar. Si trabaja en un empleo normal, es probable que falte la mitad del tiempo o que trabaje como maniático 80 horas a la semana, disfrutándolo al máximo. Quizá compre una granja de caimanes en la Florida o una estación de esquí en Colorado, o pudiera comprar una vieja casa-remolque por 150 dólares con la esperanza de arreglarla y venderla por $10,000, sólo para descubrir que está tan deteriorada que no es posible moverla. Luego hará que su esposa y todos los hijos le ayuden a desmantelarla y llevar los restos al basurero (guardando los aparatos domésticos en la cochera), para poder hacer un remolque para transporte de animales con los ejes. Ahora que tiene remolque para animales, pero ni un solo animal, puedes contar con que encontrará un remate de tres viejas vacas enfermas, y…**Quizá nunca sea rico en dinero, pero será rico en experiencias.**

Pensándolo bien, quizá mi marido no es un *Sr. Dominante* al 100%, porque se parece mucho a este *Sr. Visionario.*

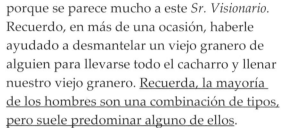

Será tu rostro el que observará para ver la maravilla de tan gran logro que ha realizado.

Recuerdo, en más de una ocasión, haberle ayudado a desmantelar un viejo granero de alguien para llevarse todo el cacharro y llenar nuestro viejo granero. <u>Recuerda, la mayoría de los hombres son una combinación de tipos, pero suele predominar alguno de ellos.</u>

La esposa del *Sr. Visionario* tiene que ser un poco temeraria y parcialmente ciega para poder disfrutar su aventura. Si este es tu marido, hay dos cosas muy importantes que debes aprender (además de cómo hacer una apelación). **Aprende a ser flexible y aprende a ser siempre leal a tu marido.** Te asombrará lo feliz que serás y lo divertido que puede ser la vida si tan sólo aprendes a ir con la corriente—*la corriente de él*. La vida se convertirá en una aventura. Hasta empezarás a compadecer a las que están casadas con los tipos estables, aburridos. Y cuando finalmente metas en tu cabeza que tu marido no tiene que tener la razón para que lo sigas, finalmente podrás decirles adiós a tus padres alterados, aun cuando te estén gritando que te has casado con un hombre loco. Los que observan se asombrarán de que puedas amar y apreciar a tu marido, pero para ti no será extraño, porque **tú podrás ver su grandeza.**

Grandeza consiste en un estado del alma, no en ciertos logros. Tomás Edison, aunque no era reconocido como tal, era *grande* después de fracasar 999 veces en su intento de hacer un foco. Los hermanos Wright eran *grandes* cuando descuidaron su oficio lucrativo de arreglar bicicletas y "perdieron el tiempo" tratando de lograr que una volara. Si el foco nunca hubiera funcionado y el avión nunca hubiera volado, y nadie hoy recordara sus nombres, hubieran sido los mismos hombres y sus vidas hubieran sido igualmente realizadas y sus días igualmente difíciles. ¿La esposa de Edison lo consideraría grande cuando gastó su último peso en una idea más que fracasaría? Si no, imagina lo que se perdió.

El *Sr. Visionario* necesita el apoyo de su mujer, y lo apreciará cuando se lo brinde generosamente. Sin ella, se siente solo. Al principio será un poco difícil vivir con este tipo de hombre. Usualmente habrá grandes pleitos al principio, si una buena muchacha normal (que tuvo por padre a un *Sr. Estable*) se casa con uno de los "raros." Llegarán a un amargo divorcio (por iniciativa de ella) después de pocos años, o ella decidirá aprender a apreciarlo, porque en realidad es verdaderamente adorable. Recibo muy pocas cartas de mujeres casadas con estos hombres inquietos, decididos a reinventar la rueda. Sí recibimos muchas cartas de sus suegras, pidiéndonos que les escribamos a sus yernos para enderezarlos.

Algunos de estos hombres platican animosamente y con gran entusiasmo. Generalmente disfrutan comentando ideas, planes y sueños. Si tienes por marido a uno de éstos, le encantará platicarte su más reciente idea, y busca tu apoyo entusiasta, no una crítica de su idea. Posteriormente analizará su idea más críticamente, pero por el momento la idea misma resulta vigorizante. Se le ocurrirán mil ideas por cada proyecto que intente, e intentará muchos que jamás concluirá, y concluirá muchos proyectos que son inútiles, y tú "lo sabías desde un principio." Recuérdale eso la próxima vez que se le ocurra una idea, y destruirás tu matrimonio—pero no lo cambiarás. Él compartirá sus "ideas necias" con alguna otra persona.

Aprende a Disfrutar la Aventura

Hace varios años, una pareja de recién casados decidió hacer un viaje en bicicleta para su luna de miel. Tenían toda la ruta trazada y preparadas las bicicletas y el equipo para acampar. Después de viajar un par de días, la joven esposa observó que su marido había tomado un rumbo equivocado. Ella lo detuvo e intentó mostrarle con el mapa que se había desviado de la ruta. Ella siempre había tenido una habilidad natural para leer mapas, y sabía exactamente dónde se encontraban. Él no tenía la misma habilidad natural y sostenía que ella definitivamente estaba equivocada e insistió que iban en la dirección correcta. Más tarde ese mismo día, al darse cuenta de que efectivamente había tomado un camino equivocado, le echó la culpa al señalamiento o alguna otra razón. Nuevamente tomó un camino equivocado, y ella discutió con él. Él seguía corrigiendo su ruta, pero no estaban llegando a ninguna parte por la ruta más corta. Ella le señaló su error. Esa parte de la luna de miel no fue muy "melosa." No había manera de hacerlo cambiar de idea. Él

> Él se pasa la vida mirando por un telescopio o por un microscopio, y le asombra que otros no observen ni se interesen en lo que él ve.

sabía que estaba en lo correcto, y si no lo estaba del todo, estaba lo más acertado que se podía esperar bajo las circunstancias, y no era bien recibida la crítica.

¿Qué podía hacer ella? La joven esposa no estaba satisfecha con la manera que se estaban tratando, y ella pensó para sí misma que esto se podría convertir en el patrón para el resto de su vida. Reflexionando sobre el asunto, se le ocurrió que para él era muy importante tener la razón y controlar, y realmente no tenía mucha importancia qué camino tomaran. Estaban haciendo este viaje para estar juntos, no para llegar a algún destino determinado. Dios en su misericordia y gracia le dio a esta dulce y joven esposa, un nuevo corazón. Decidió seguir a su marido por cualquier camino que él tomara, sin cuestionar ni corregir. Así que empezó a disfrutar alegremente el hermoso día, y la gloria de ser joven y estar enamorada, mientras pedaleaba su bicicleta por un camino que le llevaba hacia donde todo matrimonio debe ir, aun cuando no fuera conforme al mapa.

> ♥ ——————————— ♥
>
> **La moraleja es: tu manera de pensar determina tu manera de sentir y tu manera de sentir influye en tu manera de actuar.**
>
> ♥ ——————————— ♥

Esta damita está casada con un hombre 100% *Visionario*. Comenzó correctamente su matrimonio, siguiendo adonde él guiara, independientemente de que ella considerara que fuera el camino correcto o no. Ha sido flexible y está disfrutando su aventura. Algún día, cuando su marido esté convencido de que le puede confiar su corazón, permitirá que ella sea su copiloto—mientras él sigue atribuyéndose el reconocimiento por ello. La moraleja es: tu manera de pensar determina cómo te sentirás, y lo que sientes influirá en tu manera de actuar.

Si estás casada con el *Sr. Visionario*, **aprende a disfrutar la aventura,** porque si algún día realmente llega a inventar un mejor foco, deseará que seas tú la que lo encienda por primera vez en público. Será tu rostro el que observará para ver la maravilla de tan gran logro que ha realizado. Tú eres su admiradora más importante. Cuando sabes que tu marido realmente te necesita, puedes estar contenta con casi cualquier cosa.

Con el tiempo esta clase de hombre se volverá más práctico. Si eres una esposa joven casada con un hombre que tu mamá considera totalmente loco, pudieras estar casada con un *Sr. Visionario*. Ahora mismo, decide en tu corazón serle leal, y **ser flexible**; luego, deja que tu soñador sueñe. Ponte cómoda y disfruta la aventura. Debe resultar muy interesante.

El mundo necesita al *Sr. Visionario*, porque él es el que anda al acecho de la hipocresía y la injusticia y mata a los dragones. Él exige de sí mismo y de los que lo rodean, una norma más elevada. Sabe hacer casi todo, y está bien dispuesto a aconsejar a los demás. Con el tiempo desarrollará destreza en más de una cosa.

- El *Sr. Visionario* sacará la basura si es que se acuerda. Pero también pudiera terminar por inventar una manera de que la basura se saque sola, o se convierta en fuente de energía, o quizá simplemente desperdicie mucho tiempo construyendo una carreta para que la saques tú. No le molestará limpiar si es que se fija que hace falta, pero pudiera estar tan absorto que decide pintar cuando está barriendo y luego cambia de proyecto antes de terminar la pintura. Y probablemente se irrite cuando su esposa se queja con él por ello.

- El *Sr. Visionario* se la pasará platicando, platicando, platicando con su amor si ella le da su aprobación. Será subjetivo, pensando en sentimientos, estados de ánimo y percepciones espirituales. **Una de sus necesidades más grandes será que su esposa piense objetivamente (verdades probadas) y use sentido común,** lo cual ayudará a que sus pies no se despeguen demasiado de la tierra firme. **Él se pasa la vida mirando por un telescopio o un microscopio,** y le asombra que otros no observen ni se interesen en lo que él ve (o cree ver). Cada asunto insignificante ocupará su mente por completo, y será necesario que su esposa casualmente haga mención del cuadro más amplio y los posibles resultados finales de las relaciones, las finanzas, o la salud, si él sigue enfocándose totalmente en su interés presente. Su querida esposa debe conservar una mentalidad positiva, sin que nunca caiga en el mundo imaginario de él, tratando de ser una porrista por cosas sin futuro. Deja que él se apague con cosas que no son prudentes. Pero no le eches agua a su fuego. Deja que él encuentre su propio balance por medio de sus choques con las duras realidades. Definitivamente que los profetas de Dios en el Antiguo Testamento deben haber sido tipos Visionarios. ¿Recuerdas a Elías, Jeremías y Ezequiel con todas sus aflicciones?

> Él es como aguas muy profundas. Su misma profundidad hace que el movimiento sea casi imperceptible.

- El *Sr. Visionario* es un iniciador y un provocador. Es un hombre de vanguardia, un innovador, un pionero y una voz para provocar acción. Él arranca y mantiene en movimiento la fiesta hasta que llegue el *Sr. Dominante* para tomar el liderazgo.

- **El enfoque del *Sr. Visionario* es tan intenso que las cosas fácilmente se inflan fuera de proporción.** Una esposa debe cuidarse de hablar negativamente acerca de las personas. Un comentario frívolo de parte de ella puede ponerle fin a una amistad de toda la vida. Esto es cierto con cualquier hombre, pero especialmente con el *Sr. Visionario*. Examina tu corazón para descubrir tus motivaciones en lo que dices acerca de las personas. ¿Cuál es tu intención al hablar? ¿Levantarlo a él y darle gozo, o elevarte a ti misma y hacerle pensar que sólo tú eres perfecta? Si mencionas a las personas para hacer que se vean un poco mal, y pasar tú por "incomprendida", tu marido pudiera concluir que los amigos y familiares te están tratando de manera injusta, y pudiera volverse retraído y desconfiado. Sin saberlo, pudieras hacer que tu marido rechace todo consejo. Si quieres que tu marido desarrolle seguridad como un activo hombre de Dios, entonces necesita tener una conciencia limpia ante sus amistades y familiares. Dios dice que la conducta de la mujer puede ganar a su marido perdido. De igual modo, las palabras ociosas y negativas de la mujer pueden incapacitar a un hombre fuerte y convertirlo en un hombre iracundo, conflictivo y contencioso. **"Asimismo vosotras, mujeres, estad sujetas a vuestros maridos, para que también los que no creen a la palabra, sean ganados sin palabra por la conducta de sus esposas, considerando vuestra conducta casta y respetuosa"** (I Pedro 3:1-2).

> La ternura de tu marido no es una debilidad; es su fuerza. La vacilación de tu marido no es indecisión, es cautela sabia.

- El *Sr. Visionario* necesita una dama que no se ofenda fácilmente. Ella debe ser resistente. Necesita que su mujer sea llena de vida y gozo. El *Sr. Visionario* no es capaz de ser un consolador—ni para sí mismo ni para otros. Su mujer tendrá que aprender a controlar ese labio tembloroso, levantar esos hombros y ponerse esa sonrisa.

- El *Sr. Visionario* pudiera ser líder, pero como su vista se concentra en un sólo punto, su liderazgo tendrá un enfoque muy limitado.

Sr. Estable

Dios es tan estable como una roca eterna, protector, proveedor y fiel, como un sacerdote—*como Jesucristo*. Él ha creado a muchos hombres a esa imagen. Nosotros le llamaremos *Sr. Estable*—"centrado, no dado a los extremos." El *Sr. Estable* no toma decisiones impulsivas ni gasta su último peso en una idea nueva, y no trata de decirles a otras personas lo que deben hacer. Evita la controversia. No inventa el foco, como el *Sr. Visionario*, pero él será quien construya la fábrica y administre la línea de ensamble que produce el avión o los focos. Él no salta al frente de un avión para quitarle la navaja al terrorista, a menos que el *Sr. Dominante* le anime a hacerlo. Jamás encabezaría una revuelta contra un gobierno o contra una iglesia. Pasa por alto silenciosamente la hipocresía de otros. Peleará abnegadamente las guerras que inicia el *Sr. Visionario* y dirige el *Sr. Dominante*. Él es quien construye los buques tanque, cultiva la tierra, y cría silenciosamente a su familia. Como regla general, será fiel hasta el día de su muerte, en la misma cama en la que ha dormido durante los últimos 40 ó 50 años. Mujeres mayores, divorciadas, que han aprendido por sus errores, entienden el valor de la paz y la seguridad, y anhelarán un buen hombre estable, de la estatura de éste, pero tales hombres rara vez están disponibles—a menos que su esposa imprudente lo haya abandonado. Este hombre se goza con la mujer de su juventud.

Deleites y Tribulaciones

Ser esposa de un *Sr. Estable* tiene sus recompensas y sus dificultades. Por el lado bueno, tu marido nunca te aplica una presión desmedida para que hagas milagros. No espera que seas su sirvienta. No te pasas la vida apagando incendios emocionales, porque él no crea tensiones en la familia. Rara vez te sientes presionada, carrereada, empujada ni obligada. Las esposas de los *Señores Visionarios* te observan y se asombran de que tu marido parezca tan equilibrado y estable. La esposa del *Sr. Dominante* no puede creer la cantidad de tiempo libre que pareces tener. Si tu padre fue un *Sr. Estable*, es más probable que aprecies el tesoro que representa la vida práctica, realista de tu marido.

> Deja que él sea quien Dios quiso que fuera: una presencia serena, apacible, considerada— ¡para ti!

Cuando estás casada con un hombre que es constante y cauteloso, y tú tienes algo de romanticismo impaciente, quizá no aprecies su valor y no lo honres tan fácilmente. Quizá te sientas inconforme porque él es lento y cauteloso para asumir autoridad o tomar decisiones rápidas. La mujer mandona observa en su marido la ausencia de juicios apresurados y califica a su *Sr. Estable* de indeciso. Por su constancia es el último en cambiar, así que da la impresión de ser un seguidor por el hecho de que pocas veces está al frente dirigiendo a las tropas. En él no hay ningún apresuramiento emotivo,

Sr. Estable es el más sociable de los tres tipos

sino un lento y constante ascenso, sin ostentación ni escándalo. Quisieras que tan sólo se decidiera y que definiera su postura en la iglesia. Parece que simplemente permite que los demás se aprovechen de él. En ocasiones quisieras que tuviera el valor de decirte lo que debes hacer para que tú no tuvieras que cargar con toda la carga de la toma de decisiones.

Algunas mujeres interpretan la sabia cautela de su marido y su falta de pasión abierta como una falta de espiritualidad. Su falta de espontaneidad y atrevimiento pudiera parecer indiferencia a las cosas espirituales. Sin embargo, él es como aguas muy profundas. Su misma profundidad hace que el movimiento sea casi imperceptible. Sin embargo, es en realidad muy fuerte.

A él lo desconcertará tu inconformidad e intentará servirte mejor, con lo cual puede disminuir aún más tu respeto por su masculinidad. **La desilusión y la ingratitud te pueden agotar más que cualquier cantidad de responsabilidades.** Las pruebas que él parece ocasionarte, en realidad son tus respuestas de insatisfacción ante lo que tú ves como deficiencias de él. Si no intentaras cambiarlo en algo diferente a lo que Dios quiso que fuera, no te causaría ninguna pena. Su misma constancia lo mantiene en su rumbo centrado, y eso vuelve loca a la mujer controladora.

Por esto, muchas mujeres casadas con un Sr. Estable caen víctimas del desequilibrio hormonal, enfermedad física o problemas emocionales.

Cuando una mujer está casada con un hombre mandón, dominante, los demás se asombran de que esté dispuesta a servirle sin quejas, así que ella pasa por una maravillosa mujer, de gran paciencia y sacrificio. La mujer que está casada con el impulsivo *Sr. Visionario*, quien sujeta a la familia a presiones, despierta asombro en todos. "¿Cómo es posible que tolere sus ideas extrañas con tanta paz y gozo?" Ella pasa por una verdadera santa, quizá hasta por mártir. Pero si estás casada con un hombre maravilloso, amable, servicial, y muestras un poquito de egoísmo, es probable que al final pases por una ingrata musaraña. Él te ayuda, te adora, te protege y se encarga de proveer todo lo que necesitas, y aún así no estás satisfecha. ¡Te debería dar vergüenza!

El Que Lava los Pies

Ayer usé una manguera para lavar el interior del retrete exterior de la iglesia. Para ustedes que son de la ciudad, un retrete exterior es un pequeño cobertizo construido sobre un pozo en la tierra, con un piso de madera y un asiento con un agujero. Antes de los tiempos de la plomería interior, éste era el típico excusado. El retrete exterior generalmente estaba como a 20 metros de la casa. Como se han de imaginar, los retretes exteriores apestan. Mientras echaba agua sobre las paredes y el retrete, estaba deseando que Carlos estuviera por allí. Si hay un trabajo sucio, cansado, un trabajo que la mayoría de las personas trata de evadir, un trabajo que no encierra ningún reconocimiento, puedes estar segura de que Carlos estará allí, silenciosamente asumiendo la responsabilidad.

Nuestro amigo Carlos es un "lavador de pies." Su máxima fortaleza se ve en lo que hace por otros. Cuando leo el relato de Jesús quitándole el estiércol de animales a los pies de los discípulos, o llamando a los niños para que vengan a Él, o alimentando a los cinco mil, pienso en Carlos. Todos los discípulos querían figurar, ser vistos, recibir reconocimiento. Pero Cristo pasó la mayor parte de su tiempo con ellos enseñándoles a ser siervos silenciosos—la obra de un *Sr. Estable*.

Jesús era un lavador de pies. En tiempos de Cristo, lavarles los pies a los viajeros era un trabajo repugnante que le tocaba al siervo de más baja categoría, sin embargo, Jesús les lavó los pies como testimonio de lo que Él valora. **"Pues si yo, el Señor y el Maestro, he lavado vuestros pies, vosotros también debéis lavaros los pies los unos a los otros"** (Juan 13:14). En efecto les estaba enseñando: "Si quieren ser mis discípulos, más vale que se preparen para pasarse la vida limpiando lo que otros tiran, arreglando el lavabo de la ancianita, y manejando distancias más largas para recoger a alguien para llevarlo a la iglesia."

Muchas mujeres piensan en su pastor como un poderoso hombre de Dios, o en el director de canto como un hombre lleno del Espíritu. Sin embargo, sospecho que será el hombre del tipo del *Sr. Estable* el que será llamado "el mayor en el reino de los cielos." El *Sr. Estable*, el hombre silencioso, el hombre que no toma las riendas, no es un hombre de escaso valor, porque Jesús elevó las tareas comunes que en tantos casos son realizados por el *Sr. Estable*. El *Sr. Estable* puede ser un poderoso hombre de Dios. Su fuerza se ejerce al asumir silenciosamente la responsabilidad que otros suelen evadir. Si nosotras como esposas tan sólo pudiéramos aprender a honrar al hombre que Dios nos ha dado, tendríamos la bendición de observar lo poderoso que puede llegar a ser como hombre de Dios. Un matrimonio glorioso suele estar tan cerca como una palabra de aprecio. Pide a Dios sabiduría para honrar y apreciar a tu *Sr. Estable*.

"Como el Hijo del Hombre no vino para ser servido, sino para servir, y para dar su vida en rescate por muchos" (Mateo 20:28).

"Hubo también entre ellos una disputa sobre quién de ellos sería el mayor. Pero él les dijo: Los reyes de las naciones se enseñorean de ellas, y los que sobre ellas tienen autoridad son llamados bienhechores; mas no así vosotros, sino sea el mayor entre vosotros como el más joven, y el que dirige, como el que

sirve. Porque, ¿cuál es mayor, el que se sienta a la mesa, o el que sirve? ¿No es el que se sienta a la mesa? <u>Mas yo estoy entre vosotros como el que sirve</u>" (Lucas 22:24-27).

Conoce a Tu Marido

Las esposas obviamente son carne y sangre, y como mujeres jóvenes, no llegamos al matrimonio con todas las destrezas necesarias para lograr que comience bien, mucho menos perfecto. Cuando llegas a conocer a tu marido, tal como Dios lo diseñó, dejarás de tratar de cambiarlo en lo que tu *piensas* que debe ser. *La clave es conocer a tu marido.* **Si es un *Sr. Estable*, necesitas aprender a ser agradecida y honrarlo como el que ha sido creado para ti a la imagen de Dios.** La Palabra de Dios dice en Hebreos 13:8: **"Jesucristo es el mismo ayer, y hoy, y por los siglos." El hombre que ha sido creado constante trae paz y seguridad al alma de una mujer.** La ternura de tu marido no es una debilidad; **es su fuerza.** La vacilación de tu marido no es indecisión, es cautela sabia. La falta de profunda conversación espiritual de tu marido no es por falta de interés; es simplemente el tapón que contiene una montaña de intensas emociones. Si alguna vez llega a hablar respecto a lo que siente, lo más probable es que los ojos se le llenen de lágrimas.

Él quiere agradarte. **"Como aguas profundas es el consejo en el corazón del hombre; Mas el entendido [una esposa también] lo alcanzará"** (Proverbios 20:5). No será necesario que aprendas a apelar a él, porque tu marido está más que dispuesto a escucharte.

Si esto describe a tu marido, necesitas aprender a estar quieta y escuchar; luego espera a que Dios mueva a tu marido en el tiempo de Él. Pide a Dios sabiduría y paciencia. Procura siempre tener un espíritu apacible. Consulta la palabra "pudor" en la Biblia, y aprende lo que significa. Ora por sabiduría para tu marido. Deja de esperar que *actúe* para ti, orando con la familia, adelantándose a testificar o tomando una postura firme en la iglesia. **Deja de tratar de provocarlo a ira** contra los niños con el fin de lograr que él sienta que entiende lo mal que te tratan a ti. **Permite que él sea como Dios lo diseñó: una presencia callada, apacible, pensativa y considerada**—*¡para ti!* Los *Sres. Dominante y Visionario* lo comprenden y lo aprecian, y ellos también se apoyan en esta clase de hombre para encontrar estabilidad. Aprende a buscar el consejo de tu marido respecto a lo que debes hacer, y luego dale tiempo para contestar, aun cuando sean días o semanas. Muestra respeto, preguntándole en qué áreas quisiera que tú tomaras algunas de las decisiones.

Muchos de estos hombres "amables" prefieren que sus esposas muestren algo de iniciativa. Un *Sr. Dominante* te dice lo que debes hacer y cómo servirle, y el *Sr. Visionario* quiere que tú hagas lo que él está haciendo.

Al *Sr. Estable* le gusta que su mujer camine a su lado, al tiempo que ella crece en su propio derecho ante Dios y ante él.

Si estás casada con un *Sr. Estable*, debes familiarizarte con Proverbios 31 para que sepas cómo ser una ayuda idónea activa para tu marido (véase la página 222). Tu marido disfrutará y compartirá tus éxitos en los negocios. Se sentirá orgulloso de tus logros. Deseará que uses tus destrezas, habilidades e impulsos naturales. Tus logros serán un honor para él, pero la flojera perezosa lo desalentará en gran manera. El tiempo que desperdicias y el dinero que gastas imprudentemente pesará fuertemente sobre él, robándole el orgullo y el deleite que encuentra en ti. **Él necesita una mujer ingeniosa, trabajadora, con dignidad y honor. Para el *Sr. Estable* es importante que su esposa sea autosuficiente en los quehaceres diarios de la vida cotidiana.** Debes aprender a pagar las cuentas, sacar citas, y atender visitas de manera competente que le traiga a él satisfacción. Tus pasatiempos deben ser creativos y útiles, involucrando a tus hijos para que todos ustedes estén ocupados y productivos cada día. Tu hogar debe estar limpio y ordenado para que sus amigos y contactos de trabajo estén impresionados y cómodos. Tus destrezas y logros son las cartas de recomendación de tu marido. Si eres sabia y competente, entonces él lo ha de ser aun más, pensará el observador. Al final del día, el *Sr. Estable* disfrutará comparando lo que él ha logrado con lo que tú has logrado y se deleitará con el valor de tener una compañera digna en la gracia de la vida.

Estos hombres pueden ser algunos de los más importantes en la iglesia, porque su firmeza es segura, y su lealtad es fuerte. **Toman decisiones sabias, bien meditadas.** Rara vez son precipitados o imprudentes, aunque (para su descrédito) a veces toleran necedades o error sin protestas. Sus hijos crecen con gran respeto por su padre apacible. Si mamá ha hablado negativamente contra Papá, los hijos adultos se ofenderán profundamente, al grado de llegar a menospreciarla.

Típicamente, los *Sres. Estables* no llegan a ser tan ampliamente conocidos como los *Sres. Dominantes o Visionarios*. No son hombres extraordinarios ni distinguidos. No son parlanchines. No son ni irritantes ni precisamente magníficos. Si es que llegaran a atraer la atención del público, se deberá a algún logro enorme, o porque se confía en ellos por sus muy visibles rasgos de honestidad y firmeza. Tanto los hombres como las mujeres envidian y buscan a un *Sr. Dominante*.

El *Sr. Visionario* suele atraer y motivar a la gente. Pero al *Sr. Estable* lo pasan por alto. Rara vez es promotor de una causa. Es necesario, pero no suficientemente vistoso como para acaparar la atención. Nunca presume respecto a sí mismo y típicamente no promueve convincentemente su persona ni sus habilidades. Espera a que otro señale su valor y pida su ayuda. A ti te corresponde la tarea de "promoverlo", hablando bien de él hasta que todos queden convencidos y conscientes de que él es el profesional capaz que han estado buscando.

La vasta mayoría de mis cartas vienen de mujeres que critican a sus maridos tranquilos, callados, lentos, no pretensiosos, no exigentes, trabajadores, por sus hábitos "carnales." Estas mujeres han olvidado tener su propia vida, así que pasan su tiempo intentando remodelar a sus maridos para hacer de ellos tipos dominantes, porque ellas admiran el liderazgo, la autoridad y la influencia. Ni se imaginan las presiones que acarrea el estar casadas con un hombre dominante, mandón.

La mayor parte de este libro se ha escrito para ayudar a las esposas jóvenes a honrar, obedecer y apreciar al *Sr. Estable* así como es. Si la esposa deshonra a su marido constante y toma las riendas, lo más probable es que él permanezca con ella. No es probable que se divorcien. Pero lo que ella lo deshonra hará que a él le falte la seguridad para aprovechar sus oportunidades de negocios. Él llegará a conformarse con la mediocridad, porque no representa ningún riesgo. Estará consciente de que tira del arado solo, que no tiene ayuda. Sin embargo, si ese mismo hombre se hubiera casado con una mujer agradecida, creativa, que se deleita con él y lo considera el hombre más listo, sabio e importante que existe, él hubiera respondido a la ocasión en cada área de su vida. Muchas mujeres creen que el *Sr. Estable* es mediocre y que le falta fuerza y autoridad, cuando en realidad, el *Sr. Estable* es un tipo varonil y firme, al que le falta una buena esposa.

- El *Sr. Estable* pudiera sacar la basura y siempre mantener limpio el entorno, sin embargo su esposa tenderá a tomar por sentado su amabilidad.

- Pasará gran parte del tiempo en silenciosa contemplación. Esto volverá loca a su esposa, porque ella anhelará que comparta con ella sus más profundos sentimientos y pensamientos, para poderse "sentir" amada. Él no puede hacerlo. Incluso pudiera llorar en momentos de presión o de intimidad. Él es muy, muy lento para llegar a confiar y abrirse a la mujer a quien ama, porque no la entiende. Disfrutará el compañerismo con otros y se sentirá más cómodo platicando insignificancias con quien sea. **De los tres tipos, él será el más apreciado por todos.**

- El *Sr. Estable* siempre tendrá demanda. Todo mundo necesita que les arregle un auto, construya una casa, arregle su computadora, encuentre el problema con su teléfono, los cure de cáncer, y toda la larga lista. Te empiezas a preguntar si alguna vez lo tendrás para ti sola. La respuesta es "no." Él pertenece a la gente. Cuando sea necesario tiempo especial a solas, tomen vacaciones, y *dejen el teléfono celular en casa.*

- El *Sr. Estable* es excelente con los que sufren, están enfermos o moribundos. **Le encanta consolar** y parece saber exactamente lo que las personas necesitan en tiempos de gran pesar. **Su presencia callada y apacible trae paz.** Para el *Sr. Dominante*, esto es todo un milagro. Si un *Sr. Estable* se viera en el puesto o trabajo de un *Sr. Dominante*, estaría estresado y finalmente fracasaría. Él no ha sido hecho para guiar sino para apoyar.

- No se concentra en la perspectiva eterna, pero tampoco está mirando por un microscopio. Estima que ambas perspectivas son importantes. **Su visión es la de un hombre que ve la vida tal como es.** Puede dirigir su mirada hacia el cielo y está consciente de que hay más allá de lo que él alcanza a ver, y se pregunta acerca de eso. O puede contemplar un charco sucio y apreciar el hecho de que allí existe todo un mundo del que él no sabe nada. En casi todos los aspectos de la vida, él hace las veces de puente entre los otros dos tipos de hombre. Él es una expresión muy necesaria de la imagen de Dios.

Resumen de Esposa "Ruín"

a) La esposa del *Sr. Dominante* puede arruinar su matrimonio por no honrar, obedecer y reverenciar la autoridad y gobierno de su marido.

b) La esposa del *Sr. Visionario* puede arruinar su matrimonio por no seguir, creer y participar con entusiasmo en los sueños y visiones de su marido.

c) La esposa del *Sr. Estable* puede arruinar su matrimonio por no apreciar, atender y agradecer las cualidades agradables de su marido.

Resumen de Esposa Exitosa

a) La esposa del *Sr. Dominante* puede sanar su matrimonio convirtiéndose en su adorable Reina, honrando y obedeciendo cada palabra (razonable y no razonable) de él. Vestirá, actuará y hablará como para honrarlo a él dondequiera que vaya.

b) La esposa del *Sr. Visionario* puede sanar su matrimonio si deja a un lado sus propios sueños y aspiraciones para abrazar su papel de ayuda idónea para su marido, creyendo en él y estando dispuesta a seguirlo con gozosa participación en el camino que él ha elegido.

c) La esposa del *Sr. Estable* puede sanar su matrimonio reconociendo gozosamente qué gran amigo, amante y compañero le ha sido dado y expresando esa gratitud verbal y activamente. Cuando ella deje de tratar de cambiarlo, él crecerá. Así ella podrá asumir gustosamente las tareas que llenarán su tiempo y darán a su esposo, gozo y satisfacción al ver la productividad de ella.

Tiempo de Reflexionar

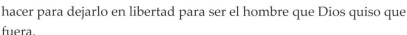

¿Quién es *tu* marido?

Elabora una lista de las características de tu marido—cosas que indiquen cuál de los tres tipos expresa más. Pudiera ser una combinación, en la que predomine un tipo más que los otros. Ahora, inicia una lista de cosas que puedes hacer para dejarlo en libertad para ser el hombre que Dios quiso que fuera.

"Así que, hermanos, os ruego por las misericordias de Dios, que presentéis vuestros cuerpos en sacrificio vivo, santo, agradable a Dios, que es vuestro culto racional. No os conforméis a este siglo, sino <u>transformaos por medio de la renovación de vuestro entendimiento,</u> para que comprobéis cuál sea la buena <u>voluntad de Dios, agradable y perfecta</u>" (Romanos 12:1-2).

Pide a Dios que te dé sabiduría para saber en qué necesitas cambiar para ser la ayuda idónea perfecta para tu marido divinamente diseñado.

Recuerda que la mayoría de los hombres tienen un poco de los tres tipos, pero tienden a ser más fuertes en uno de ellos.

Capítulo 9

Encuentra Tu Vida en la de Él

Desde el principio, Dios quiso que fuéramos consuelo, bendición, galardón, amiga, aliento, y brazo derecho.

Recuerdos que Valen

En cierta ocasión vi una película llamada "Papá." Relataba la historia de una pareja anciana en sus últimos años. La esposa trataba a su marido como un inepto, controlándolo y apresurándose a ayudarle con todo lo que necesitara, con aire paternalista. Ni siquiera dejaba que se sirviera la leche en su cereal. Él parecía senil—viviendo en un mundo nebuloso. Un hijo adulto regresó a casa para ayudar a sus padres ancianos en el ocaso de su vida. La anciana se había pasado toda su vida controlando y atendiendo a su marido, que era un amable *Sr. Estable* . Pero mientras la anciana estuvo en el hospital con alguna enfermedad, el anciano, por sugerencia de su hijo, empezó a salir a pasear y a hacer cosas interesantes. De pronto, "abuelito" parecía haber rejuvenecido. Era como si el calendario se hubiera regresado 50 años. Ahora era feliz. Cuando abuelita salió del hospital, regresó a casa para encontrar a un hombre transformado. Con gran entusiasmo platicaba de amistades y familiares que en realidad jamás habían existido. Hablaba de la granja lechera y de su vida allí. Hablaba de sus cuatro hijos—pero sólo tenían dos. Hablaba con nostalgia de su obediente, amable y tierna esposa—muy diferente a la realidad que había experimentado a lo largo de sus muchos años juntos. Su esposa estaba terriblemente conmocionada, porque ella sabía que nunca había existido la granja lechera, ni tenían más que dos hijos. Ella sabía que la mujer a la que él recordaba con tanto cariño no era ella.

Llamaron a un psiquiatra para tratar de explicar lo que estaba sucediendo con la mente del anciano. El médico le explicó a la familia que el abuelo había trabajado fielmente en la misma fábrica, haciendo el mismo trabajo con sus manos. Pero mientras sus manos trabajaban, su mente soñaba con la vida que realmente hubiera querido llevar. Era una vida al aire libre con trabajo pesado en una granja lechera, con la ayuda de su gran familia con muchos hijos. **A medida que la mente del abuelo envejecía, el agradable mundo irreal que había vivido en su imaginación se volvía más real para él, que el mundo enjaulado que vivía en la realidad.** Debido a la mano controladora de su esposa, y el deseo de él de "cumplir con su deber" de agradarla, había dejado de vivir sus sueños. Ella lo había debilitado con su control y sus críticas, hasta que él creó un mundo imaginario de esperanza y realización. Esta sencilla historia ilustraba tan bien la triste realidad de muchas familias.

El Contador Público

Esta carta nos fue enviada por la esposa de un hombre que decidió hacer que sus sueños se hicieran realidad. Se hubiera requerido de un libro del tamaño de éste para explicarle a ella por qué necesita ser la dama de los sueños de su marido. Yo sé que esto es lo que ella realmente desea. Sólo que ha perdido temporalmente su visión.

Estimados Pearl,

Yo tengo 22 años de casada, y mi esposo es un hombre maravilloso. Conoce al Señor, pero no ha sido tan constante en su lectura bíblica como yo quisiera. Aun no le he dicho nada al respecto. Nuestros problemas realmente se desprenden de un cambio que él hizo para nuestra familia, empezando desde hace unos tres años.

Cuando nos casamos él estaba estudiando para ser C.P. Yo le ayudé con el último año de su carrera y pasé 19 años trabajando largas horas con él durante la temporada de las declaraciones anuales. Yo no lo disfrutaba mucho, pero estaba consciente de que ésa era su carrera. Él quería encontrar un trabajo que le permitiera permanecer en casa y trabajar en forma independiente. Yo consideraba que ésa era una noble aspiración, y deseaba que estuviera cerca de nuestros hijos mientras iban creciendo.

Pues, lo que ha decidido hacer ahora, ¡me resulta imposible manejarlo! Él decidió poner una granja lechera. Nosotros somos gente de la ciudad. Yo siempre le he dicho que no siento ningún deseo de tener una granja lechera. Durante los últimos tres años no ha hecho mas que leer e investigar sobre el tema. No dudo que él pueda lograr que funcione. Pero simplemente no es algo que yo quiera hacer. He tenido que soportar muchas cosas. Todavía trabaja en la ciudad, y luego viene de prisa al rancho para trabajar en la granja. Anoche tuve que esperarlo hasta las 8 de la noche para cenar. Luego llega corriendo y va directamente al granero. Me sentí muy lastimada. Estoy cansada de trabajar tanto y sentir que no avanzamos nada. Esto está destruyendo a nuestra familia. Sé que debo someterme, pero de verdad que yo no quiero hacer esto. No es éste mi sueño. ¡Nada se habló hace 22 años de trabajar en granja! ~ Donna

> **Dios nos hizo a las mujeres para que fuéramos ayuda idónea.**

El concepto que tiene Donna del matrimonio está totalmente equivocado. No se parece en nada al diseño de Dios para el matrimonio. Dios no creó a Adán y a Eva al mismo tiempo para que luego llegaran a algún acuerdo en cuanto a la manera de alcanzar cada uno sus metas personales dentro de un esfuerzo cooperativo. Creó a Adán, le dio un oficio, lo puso por gobernante del planeta, lo dotó de una perspectiva espiritual, le dio órdenes y especificó sus deberes vocacionales. Adán empezó a gobernar el planeta **antes de que Dios creara a Eva para ayudarle con las metas de su vida.** No era necesario que Adán contara con el consentimiento de Eva. **Dios se la entregó a Adán para que fuera su ayudante, no su socio. Ella fue diseñada para servir,** no para ser servida, **para ayudar,** no para vetar sus decisiones. ¿Quieres saber de cambios de ocupación y de vivienda? ¡Mira Eva! ¿Puedes imaginar que ella le dijera a Adán lo siguiente?: *"Cuando Dios me trajo a ti en aquel maravilloso huerto y comenzamos nuestra vida juntos, nunca mencionaste nada de cardos y espinos, dolores de parto, ordeña de cabras y batir mantequilla. ¡Yo no soy mujer del campo!"*

Yo me pregunto si el marido de Donna abandonará su "sueño realizado" por el hecho de que ella le está recordando frecuentemente que hace veintidós años él no le dijo que algún día él iba a tener una granja lechera.

¿Sus expresiones de agotamiento e insatisfacción destruirán el gozo de él y le robarán su visión? Si es que regresa al trabajo de contador de tiempo completo, me pregunto si se pasará el resto de su vida soñando en un tipo diferente de mujer por esposa, muchos niños felices, y un corral lleno de vacas lecheras. **La vida es hoy.** No hagas que arruine su vida, obligándolo a depender del dinero de otros. Encuentra tu vida en la de él.

> Dios no busca mujeres felices para hacerlas ayudas idóneas para los hombres. Busca mujeres dispuestas a ser verdaderas ayudas idóneas para llenarlas de gozo.

Dios nos hizo a las mujeres para que fuéramos **ayuda idónea**, y es parte de nuestra naturaleza física serlo. Es nuestro llamamiento espiritual y la **voluntad perfecta de Dios para nosotras.** Es el papel en el cual triunfaremos en la vida y es donde encontraremos nuestra más grande realización como mujeres y como siervas de Dios. Dios dijo en Génesis: **"Le haré ayuda idónea para él."** Pablo dijo: **"Porque el varón no procede de la mujer, sino la mujer del varón, y tampoco el varón fue creado por causa de la mujer, sino la mujer por causa del varón"** (I Corintios 11:8-9). **"A la mujer dijo…y tu deseo será para tu marido, y él se enseñoreará de ti"** (Génesis 3:16).

Cuando luchamos contra la voluntad de Dios y los sueños de nuestros maridos, nos sentimos frustradas y desilusionadas. Si nuestros maridos son amables, *Sres. Estables*, como es el marido de Donna, con el tiempo se sentirán desalentados y dejarán de esforzarse por darnos gusto. Si nuestros maridos son *Sres. Dominantes*, pudieran abandonarnos y encontrarse una mujer a la que le gusten las granjas lecheras. Si nuestros maridos son *Sres. Visionarios*, gritarán y nos harán la vida insoportable hasta que regresemos corriendo con Mamá, y terminemos durmiendo en una cama fría y viviendo de limosnas.

La vida está llena de decisiones. La manera en que decidas responder ayudará a determinar tu destino en la vida. **La vida es hoy.** Aprende a disfrutar de verdad sacar la basura u ordeñar una vaca. Te asombrarás de la manera en que Dios te llenará de sí mismo. En tu "feliz" vejez harás memoria de tu papel en la vida y te preguntarás cómo pudiste haber sido alguna vez una tristona cara-larga. Algunas personas te dirán: "Tú simplemente tienes una personalidad alegre, y por eso disfrutas la vida. ¿No es verdad?" Tú podrás reír, sabiendo que lo único que te llena totalmente de gozo es estar en la voluntad de Dios. Dios no está buscando mujeres felices para convertirlas en ayudas idóneas para hombres buenos. Está buscando mujeres dispuestas a ser verdaderas ayudas idóneas para los hombres con quienes están casadas, para que Él pueda *llenarlas* completamente de gozo.

La Expresión de Su Imagen

Hemos estudiado tres tipos diferentes de hombres y la manera en que cada uno de ellos se relaciona con la dama en su vida. Hemos aprendido que Dios da sabiduría a los que se lo piden. A estas alturas ya sabes que se requerirá sabiduría sobrenatural para que puedas llegar a conocer, aceptar y apreciar a tu marido tal como Dios lo hizo. Él pudiera manifestar las tres expresiones diferentes en diferentes etapas de su vida, o pudiera tener algo de un tipo y mucho de otro. Lo importante es que tú entiendas que él es como Dios lo hizo, y que tú debes ser su ayuda adecuada. Si sabes qué "expresión" ha diseñado Dios en él, podrás ser una mejor ayuda para el marido que Dios te ha dado. Dios dice tan clara y enfáticamente que, **"Si alguno de vosotros tiene falta de sabiduría, pídala a Dios, el cual da a todos abundantemente y sin reproche, y le será dada"** (Santiago 1:5). Pide a Dios que te ayude a conocer y apreciar a tu marido. Pide que Dios te dé la sabiduría y la gracia para compartir los sueños de tu esposo, para que siempre seas tú en quien sueñe.

TIEMPO DE REFLEXIONAR

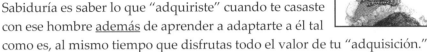

Sabiduría es saber lo que "adquiriste" cuando te casaste con ese hombre además de aprender a adaptarte a él tal como es, al mismo tiempo que disfrutas todo el valor de tu "adquisición."

"A la mujer dijo…y tu deseo será para tu marido, y él se enseñoreará de ti" (Génesis 3:16).

Desarrolla un nuevo hábito

¿La voluntad de Dios es que tu marido se adapte a ti, o es que tú te adaptes a él? ¿Qué hábitos en tu vida debes cambiar para adaptarte a las necesidades de tu esposo? Comienza hoy.

Trata con Dios en Serio

La palabra *SABIDURÍA* aparece 248 veces en la Palabra de Dios. Conforme consultes y leas cada ocasión que aparece la palabra *sabiduría*, Dios hará una obra en ti y te dará sabiduría cuando la busques. La Biblia enseña que la hermana de la **sabiduría** son los mandamientos de Dios, y la parienta de la **sabiduría** es la inteligencia (Proverbios 7:4). Anota en tu diario tus versículos favoritos sobre **sabiduría**. Establece una hora al día en la que te acordarás de pedir a Dios sabiduría. Por ejemplo, yo me he propuesto que cada vez que me detenga en un semáforo, me acordaré de orar por mi marido. En cada comida, oramos por **sabiduría** para nosotros y para nuestros hijos. Anota una hora o evento que te recuerde pedir silenciosamente a Dios que te dé sabiduría para ti y para tu marido.

Éstos son algunos de mis versículos favoritos sobre sabiduría:

"Enséñanos de tal modo a contar nuestros días, que traigamos al corazón sabiduría" (Sal. 90:12).

"Para recibir el consejo de prudencia, justicia juicio y equidad" (Pr. 1:3).

"Haciendo estar atento tu oído a la sabiduría; si inclinares tu corazón a la prudencia" (Pr. 2:2).

"Sabiduría ante todo; adquiere sabiduría: y sobre todas tus posesiones adquiere inteligencia" (Pr. 4:7).

El
perfil de Jezabel

Publicado originalmente en la revista No Greater Joy en junio 2002
Por Debi Pearl

Todos los días leo muchas cartas de mujeres que están teniendo problemas en sus matrimonios. También recibo cartas de mujeres que testifican de la victoria que han recibido y la sanación que ha ocurrido. He desarrollado gran entendimiento al leer estos testimonios de éxitos y fracasos. Mi marido y yo hemos escudriñado las Escrituras para encontrar respuestas a los muchos problemas domésticos que se nos presentan.

Las causas de los fracasos matrimoniales son muchas y variadas. No hay una sola causa o problema único. El hombre tiene la culpa tanto como la mujer, pero casi siempre es la mujer quien busca respuestas. Los hombres simplemente se van a trabajar y aprenden a vivir con eso, o huyen de ello. Las mujeres preguntan: "¿Qué puedo hacer para sanar mi matrimonio?" Yo soy una mujer. Los hombres generalmente no me piden consejo, que es lo que debería ser. Así que me dirijo a las mujeres, por lo cual se me acusa a menudo de ser parcial. Las mujeres preguntan: "¿Por qué siempre culpas a las mujeres? ¿Qué pasa con los hombres?" Así que a las mujeres les digo: No puedes cambiar el 100% de tu matrimonio, pero si puedes cambiar el 50%, eso puede mejorar tu matrimonio un 200%.

Nuestras lectoras son un grupo único. Tienen mentalidad espiritual, van a la iglesia, creen en la Biblia, en su mayoría educan a sus hijos en casa, y en perspectiva, están muy centradas en la familia. Este perfil se presta a varias fuentes únicas de irritación en el matrimonio. Sus cartas y testimonios nos han permitido identificar uno de los problemas más comunes de parte de la mujer. Es el espíritu de Jezabel.

Cuando el nombre *Jezabel* viene a la mente, la mayoría de nosotros vemos la cara maquillada de una mujer vestida seductoramente mirando a los ojos de un hombre que carece de sentido común. La Biblia presenta a Jezabel desde una perspectiva diferente.

Apocalipsis 2:20 dice que Jezabel "se dice profetisa", y que los hombres la recibieron como maestra. Esto fue dado como una advertencia a la iglesia. A la que has recibido como una maestra llena del espíritu viene a ti en la gran tradición de Jezabel. Hemos observado que muchas esposas han impedido su mitad del matrimonio al asumir el liderazgo espiritual del hogar. Ellas enseñan a sus maridos. Sin embargo considera 1 Cor.14: 33-35:

> "... como en todas las iglesias de los santos, vuestras mujeres callen en las congregaciones; porque no les es permitido hablar, sino que estén sujetas, como también la ley lo dice. Y si quieren aprender algo, pregunten en casa a sus maridos; porque es indecoroso que una mujer hable en la congregación".

Volví a 1 de Reyes para ver lo que la Biblia tenía que decir acerca de esta mujer Jezabel. Lo primero que noté fue que Jezabel era más religiosa que su marido. Era espiritualmente intensa. En 1 Corintios 11:3, la Biblia dice:

> "Pero quiero que sepáis que Cristo es la cabeza de todo varón, y el varón es la cabeza de la mujer, y Dios la cabeza de Cristo".

Como mujer, nuestro lugar está bajo nuestro marido, especialmente en el ámbito espiritual. Cualquiera que sean nuestras circunstancias, cuando tomamos el liderazgo espiritual, hemos abandonado nuestro lugar de sujeción a nuestro líder. Hemos tratado de reorganizar el lugar designado por Dios para nosotras. Ya no estamos en la voluntad de Dios.

Lo segundo que observé fue que Acab era emocionalmente volátil, inestable. ¿Tu marido es propenso a retirarse? ¿Está amargado, enojado o deprimido? Cuando una mujer toma el liderazgo, está desempeñando el papel masculino. A menos que el marido luche contra ella por la supremacía, él debe asumir el segundo lugar. Y los hombres que se ven obligados a someterse espiritualmente a sus esposas tienden a estar enojados y a retirarse como Acab.

La tercera cosa que noté fue que ella usaba el estrés emocional de Acab para ganarse su cariño, una manera extraña de dominar al marido. Jezabel manipuló y acusó a un hombre inocente y luego lo mandó asesinar para que Acab pudiera tener el viñedo que quería. Acab permaneció con su cara hacia la pared y la dejó hacer sus acciones oscuras. Hoy, si una mujer está dispuesta a desempeñar el papel de su marido en dirigir a la familia, él perderá su deseo natural de asumir la responsabilidad.

En el papel dominante, la mujer se agota rápidamente emocional y físicamente. Dios nos hizo el vaso más frágil. Si estás en este estado de agotamiento, entonces es probable que estés cargando una carga que no fue hecha para ti. No te corresponde presionar a tu esposo a que cumpla con su deber de ser espiritual. Debes vivir con alegría en el contexto que él proporciona.

La cuarta cosa que me llamó la atención es que la mujer de Acab podía manipularlo fácilmente para conseguir sus objetivos. Jezabel lo usó para erigir imágenes para el culto al mando de los profetas de ella y para matar a los profetas de Dios. A menudo el marido se involucra en la iglesia, no porque Dios lo ha llamado a hacerlo, o porque esté en su corazón hacerlo, sino porque está tratando de complacer a su esposa y al menos VERSE espiritual. Cuando el marido asume un papel espiritual ante el llamado de su esposa, se vuelve vulnerable a la guía de ella en ese papel. Esto va en contra de la naturaleza, y a menudo trae conflictos en la familia y en la iglesia.

Acab eligió no darse cuenta cuando su mujer trabajaba detrás de la escena. Muchos maridos fingen no darse cuenta cuando ven que sus esposas se salen del rol que Dios les dio. Estos hombres preferirían no tener que lidiar con la ira fría como la piedra que recibirían de sus esposas si ofrecieran alguna resistencia. ¿Lo has visto y lo has hecho?

Jezabel sabía que no era la cabeza legítima, así que invocó al nombre de su marido para darle autoridad a su palabra. ¿Alguna vez dijiste: "Oh, mi marido no me dejaría hacer eso", a sabiendas que realmente no le importaría? Es una manera de mantener el control y detener a quienes te cuestionarían. Cuando una mujer hace esto, detiene cualquier ministerio que Dios tiene destinado para ella.

Jezabel estaba profundamente preocupada por asuntos espirituales y tomaba medidas para promover a sus líderes espirituales. En el proceso provocó a su marido a destruir a aquellos quienes tenían autoridad espiritual que no le gustaban a ella. ¿Alguna vez has influido en tu marido para que piense mal de los que tienen autoridad porque no te gustaba algo de ellos? Cuando una mujer llega a este punto podría de una vez firmar su nombre como "Jezabel".

Dios tiene un plan para las mujeres. Reveló Su voluntad en muchos versículos con órdenes claras y concisas. Él ofrece una imagen reveladora de lo que aborrece en una mujer presentándonos a Jezabel y luego reafirmando en el Nuevo Testamento qué era exactamente de su carácter que Él consideraba tan despreciable.

Revela Su voluntad de manera positiva en las historias de las mujeres a quienes Él honró. La historia de Rut habla de una muchacha que había conocido la tragedia, la pobreza extrema y el trabajo duro y servil, sin embargo mantuvo una actitud positiva, agradecida y sumisa. Dios bendijo a Ruth porque el propio éxito y felicidad personal de ella no fueron la fuerza impulsora en su vida.

Ester es la historia de una joven que perdió a toda su familia y fue llevada a la fuerza para convertirla en la esposa de un hombre mayor que ella, divorciado y pagano. Fue puesta (por decreto de su marido) en peligro de perder su propia vida y la de todo su pueblo. Sin embargo, superó sus circunstancias y su miedo para honrar a su marido. Las Escrituras enseñan que cuando su marido escuchó su sincera súplica, dada con graciosa dignidad, ella se ganó su corazón y él a su vez, salvó al pueblo de Ester. Dios usó a Ester porque la voluntad de Dios era más importante para ella que su propia realización.

Proverbios 31 define a la mujer virtuosa. Ella NO es una mojigata tímida y muda. Es segura de sí misma, trabajadora, creativa e ingeniosa.

Usa su tiempo sabiamente y contribuye al ingreso familiar. Su virtud principal es que el corazón de su marido está en ella confiado. Dice que le da bien y no mal todos los días de su vida. Es decir, que él le puede confiar sus pensamientos y sus sentimientos sin temer nunca que ella pudiera usar el conocimiento privado que tiene de él para lastimarlo de ninguna manera. Algunos hombres guardan su distancia de sus esposas porque si se revelan, sus esposas lo usarán en contra de ellos cuando estén de mal humor.

Si este pasaje se hubiera escrito desde nuestra perspectiva moderna, la habría exaltado por tener un "tiempo de silencio", tiempo de oración, tiempo de comunión y habría proyectado la imagen de una guerrera de oración, maestra o consejera. Ninguno de esos conceptos ni siquiera se menciona en todos los perfiles bíblicos de mujeres justas, incluyendo Proverbios 31. La mujer de Proverbios 31 está ocupada ayudando a su marido a tener éxito. Está demasiado ocupada siendo productiva para gastar su tiempo siendo la conciencia de su marido. En nuestra cultura hemos perdido una clara comprensión de lo que constituye una mujer virtuosa. Hemos aceptado el concepto moderno de la mujer "espiritual" que circula en el ámbito del poder religioso y hemos olvidado que Dios no la ve en esta misma luz "gloriosa". Lo que nosotras pensamos ser espiritual, Dios lo cataloga "Jezabel".

"Porque mis pensamientos no son vuestros pensamientos, ni vuestros caminos mis caminos, dijo Jehová." (Isa. 55:8)

Para llegar a ser una mujer justa que cosecha los beneficios de que nuestro marido nos adore, debemos seguir los principios de Dios de la feminidad y rechazar totalmente la tendencia de Jezabel.

Dios estableció unas cuantas reglas simples que se deben seguir porque son consistentes con nuestra naturaleza femenina y la naturaleza de los hombres. Aunque femenino, fue el ejemplo virtuoso, humilde y audaz de Rut lo que causó que Boaz la amara y la admirara. La sumisión de Ester a este principio fue lo que le hizo ganar el amor y el aprecio del rey por ella como mujer y como su reina. Estas mujeres se mostraron femeninas y amables en medio de circunstancias extremas. Dios las honró con el favor de los hombres en sus vidas.

La dominación y el control siempre son masculinos. Es algo hormonal. Es la forma en que Dios diseñó la naturaleza masculina. Es importante que la mujer comprenda que tiene que ser femenina (desprovista de dominio y control) para que su marido la vea como su contraparte exacta y así responder a ella de manera protectora, con amor y delicadeza.

Dios nos diseñó, así que Él sabe lo que nuestros maridos necesitan para funcionar bien en su papel de hombres quienes valoran a la mujer en su vida. Por naturaleza, los hombres necesitan honor (esto incluye no cuestionar sus decisiones). Necesitan respeto (que los traten como que son sabios). Necesitan reverencia (que los admiren diariamente como hombres que están logrando grandes cosas). Necesitan que se les acepte por quien son, qué son, y tal como son. Los hombres necesitan sentir que están al mando y que están haciendo un buen trabajo.

Una parte importante del hombre es un instinto natural dado por Dios de complacer a su esposa. Si la mujer ha de ser grandemente valorada, elegirá encontrar placer en la forma en que el marido se presenta a sí mismo y en su cuidado. Esta es la voluntad de Dios para nosotras como mujeres. Cuando nosotras como mujeres obedecemos a Dios respondiendo a las necesidades de nuestro marido, estamos adorando y honrando a Dios.

"... y tampoco el varón fue creado por causa de la mujer, sino la mujer por causa del varón". (1 Cor. 11:9)

Dios te creó para satisfacer las necesidades masculinas básicas de tu marido. Solo en ese papel encontrarás la paz y harás que tu marido te responda en amorosa devoción. Este papel de sumisión es totalmente femenino. Es la contraparte exacta para las necesidades masculinas de tu marido.

"Y dijo Jehová Dios: No es bueno que el hombre esté solo; le haré ayuda idónea para él". (Gen 2:18)

La mujer que critica a su marido por ver demasiada televisión ha dejado de honrarlo. Cuando la mujer trata de controlar áreas de su vida en común porque cree tener razón, está usurpando la autoridad de su marido y se está enseñoreando de él. Una mujer deprimida y descontenta que siente que su marido no satisface sus necesidades está deshonrando a Dios. Los sentimientos heridos son una manera de controlar.

El silencio y el retiro emocional son formas feas y destructivas de controlar tanto a tu marido como a tus hijos. La ira, la enfermedad, el agotamiento, e incluso el miedo, todos se usan para controlar a las personas que te importan. Algunas mujeres controlan a su marido al tener un hambre espiritual intensa. Jezabel viene disfrazada de muchas maneras. Hay muchas formas variadas y sutiles de controlar y dirigir a tu marido.

Una de las formas de tomar el control es decirle a tu marido que quieres que él sea el líder espiritual en el hogar y luego comunicarle que estás esperando para seguirlo. Puedes dirigir desde atrás simplemente aclarándote la garganta en el momento correcto. Muchas mamás agradables que educan en el hogar son las líderes espirituales en su casa. Ellas juegan el papel masculino espiritualmente. Cómo debe entristecer esto al Espíritu Santo de Dios. A menudo la excusa es que no podemos servir a dos amos y como nuestro marido es carnal, tenemos que hacer lo que creemos que es correcto, aun cuando sea en contra de los deseos de nuestro marido. Como Eva, estamos tan engañadas.

"... y Adán no fue engañado, sino que la mujer, siendo engañada, incurrió en transgresión". 1 Tim. 2:14

Un hombre no puede atesorar a una mujer fuerte que ha expresado su disgusto hacia él y que se está resistiendo hasta que él satisfaga el ideal de ella. Tú dices que él debería tener el amor de Cristo. ¿Eso es lo que quieres? ¿Quieres que tu marido tenga que buscar poder sobrenatural solo para encontrar una manera de amarte? Lo que la mayoría de los hombres aprecian en sus esposas es el recuerdo de cuando el amor era divertido y libre, sin exigencias, el tiempo cuando ella le sonreía con una mirada dulce y juvenil que le decía: "Pienso que eres maravilloso". Ella era tan femenina en ese entonces, tan mujer. Era una época en la que quería abrazarla solo por el hecho de ser suya, una época en la que él quería darle todo. Un vago recuerdo lo mantiene esperanzado. Él está tan decepcionado en el amor como tú, tal vez más. Él está igual de solo. Simplemente llena su soledad haciendo cosas que lo distraen de la realidad del vacío que sabe que está allí, pero que no sabe cómo arreglarlo. Su ayuda idónea no está contenta con él. Es un fracasado.

El primerísimo mandamiento que Dios le dio a la mujer fue:

"… y tu deseo será para tu marido, y él se enseñoreará de ti". Gén. 3:16

¿Tu deseo es por tu marido? ¿Lo deseas como hombre? ¿Vives para complacerlo? ¿Se enseñorea él de ti? Esta es la voluntad de Dios.

Ser una Jezabel es un papel activo, controlando activamente, haciendo nuestras propias cosas de forma activa. Ser una Rut o una Ester es igual de activo. Es una decisión que hacemos cientos de veces cada día al elegir honrar a nuestro marido alegremente.

La recompensa de Dios es sin medida. Los hombres son como barro en las manos de una mujer a la que pueden confiar con su corazón. Un hombre, perdido o salvo, responde a una mujer que lo honra. Cuando una mujer mira a su marido con una cara llena de alegría y deleite, él anhelará estar con ella. Si su voz pronuncia palabras de agradecimiento y aprecio alegre de él, él querrá escucharla. Si sus acciones son llenas de servicio y creatividad, y si ella tiene buena voluntad hacia él, se sentirá atraído a ella como lo es una abeja a la miel. Este tipo de dama es totalmente femenina. Ella es lo que Dios creó y le dio a Adán.

En lo profundo de nuestro corazón todas queremos lo mismo. Todas queremos ser amadas y apreciadas. Todas gritamos con todo nuestro ser que nuestro marido nos atesore en su corazón. Es el mayor honor en la tierra el saber que tu marido está encantado de que seas su mujer. Supera todas las bendiciones de la tierra sentir su mirada en ti y saber que eres su regalo más grande, su posesión más preciada, su mejor amiga, su pasatiempo favorito, su única amiga íntima y su deleite como amante. Es una gran alegría saber que realmente está orgulloso que seas suya. No es recordar los cumpleaños, abrir la puerta del auto u otras costumbres tontas lo que ansiamos, es el saber que él está totalmente enamorado de nosotras.

Queremos que nos quiera. Simplemente queremos ser amadas. La voluntad perfecta de Dios para nuestros maridos es que nos amen. La voluntad perfecta de Dios para nosotras es honrar, obedecer y reverenciar a nuestro marido. La manera de Dios funciona. Si lo que estás haciendo este año no ha funcionado, ¿por qué no hacerlo a la manera de Dios?

> **1 Cor. 11:7 " Porque el varón no debe cubrirse la cabeza, pues él es imagen y gloria de Dios; pero la mujer es gloria del varón".**

> **1 Cor. 11:8 "Porque el varón no procede de la mujer, sino la mujer del varón…"**

> **1 Cor. 11:9 "… y tampoco el varón fue creado por causa de la mujer, sino la mujer por causa del varón".**

Creada para Ser Su Ayuda Idónea

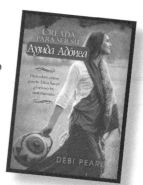

Como quiera que hayas iniciado tu matrimonio, por oscuro y solitario que haya sido el camino que te ha conducido hasta donde estás ahora, quiero que sepas que es posible hoy mismo, tener un matrimonio tan bueno y pleno, que no se pueda explicar mas que como un milagro.

¡Lo que Dios está haciendo a través de este libro es asombroso! Constantemente recibimos testimonios de mujeres cuyos matrimonios han sido renovados o restaurados como resultado de la lectura de este libro. **Libro de 300 páginas.**

Para Entrenar a Un Niño

Aprende de padres exitosos, cómo entrenar a tus hijos en lugar de disciplinarlos. Con un gran sentido del humor y ejemplos tomados de la vida real, este libro te muestra cómo entrenar a tus hijos antes de que se presente la necesidad de disciplinarlos. Se acabará el estrés y tus hijos obedientes te alabarán. **Libro de 102 páginas.**

La Pornografía: Camino el Infierno

Mientras la mayoría de los ministros evitan este tema, Michael Pearl enfrenta el flagelo mortal de la pornografía de frente. Él muestra como el arrepentimiento delante de Dios y el poder del evangelio de Jesucristo pueden romper las ataduras de esclavitud a esta perversión malvada por medio de la abundante misericordia y gracia de un Dios amoroso. Hay esperanza para el hombre atrapado en la pornografía, y hay esperanza para la esposa disgustada e indefensa quien encuentra difícil honrar a un hombre así. **Folleto de 13 páginas.**

El Bien Y El Mal

Dios escogió introducirse a Sí mismo a la humanidad, no por medio de principios, conceptos o doctrinas, sino por medio de historias de profecía, guerra, misericordia, juicio, milagros, muerte, vida y perdón. Este es el plan redentor de Dios narrado cronológicamente desde Génesis hasta Apocalipsis.

Escrito por Michael Pearl y con un espectacular trabajo gráfico por el ex-dibujante de tiras cómicas Marvel, el artista Danny Bulanadi. Más de 300 páginas ilustradas en formato de revista de tiras cómicas donde se presentan las historias de la Biblia en orden cronológico. Magnífico para cualquier niño, adolescente o como material para escuela dominical. Disponible en español o inglés. **Libro de 330 páginas**

Abandonando El Barco

Hay una tendencia perturbadora surgiendo entre algunas familias cuyos hijos están descontentos y rebeldes, los cuales abando- nan el barco tan pronto y piensan que pueden sobrevivir sin el apoyo económico de la familia; algunos de apenas dieciséis años de edad. Michael Pearl abordó este tema en una serie de artículos en el 2006 pero ahora los ha recopilado en un libro, agregando nuevo material y capítulos suplementarios que cubren cuestiones adicionales. **Libro de 107 páginas.**

Sexo Santo

De los 66 libros que componen la Biblia, un libro entero está dedicado a promover el placer erótico: El Cantar de Cantares de Salomón. Michael Pearl lleva a sus lectores a través de una refrescante jornada de textos bíblicos. Esta perspectiva santi- ficadora de la pasión más poderosa que Dios creó liberará al lector de culpas e inhibiciones falsas. **Libro de 85 páginas.**

Sólo Hombres

¡Este gran sermón para hombres se encuentra ahora disponi- ble en español! Michael Pearl habla directa y francamente a los hombres acerca de sus responsabilidades como maridos. Las esposas no deben escuchar este CD. No queremos que se aprovechen de su hombre. **1 CD de Audio.**